Il y a toujours quelqu'un ou quelque chose pour toi,
là où tu crois que c'est la fin du chemin.

L’homme qui marche

Catalogage avant publication de Bibliothèque et Archives nationales du Québec et Bibliothèque et Archives Canada

Béliveau, Jean, 1955 18 août-
L'homme qui marche
ISBN 978-2-89077-457-5
1. Béliveau, Jean, 1955 18 août- - Voyages. 2. Voyages autour du monde.
3. Randonnée pédestre. I. Woessner, Géraldine. II. Titre.
G440.B44 2013 910.4'1 C2013-940133-4

Toutes les photographies reproduites dans cet ouvrage proviennent de la collection personnelle de Jean Béliveau. L'auteur tient à remercier Martine Lefrançois pour lui avoir permis de reproduire son portrait à Berlin et Glen Arcos Molina pour ses photos au Chili.

COUVERTURE
Conception graphique : Atelier lapin blanc

INTÉRIEUR
Mise en pages : Michel Fleury

ISBN 978-2-89077-457-5
Dépôt légal BAnQ : 1er trimestre 2013

Imprimé au Canada
www.flammarion.qc.ca

JEAN BÉLIVEAU

L'homme qui marche

Récit écrit en collaboration
avec Géraldine Woessner

Flammarion
Québec

TABLE DES MATIÈRES

- 15 -
Avant-propos par Géraldine Woessner

- 19 -
LA GENÈSE

- 27 -
L'ANNONCE

- 31 -
GOD BLESS YOU
19 août 2000 – 25 février 2001
→ ÉTATS-UNIS →

- 42 -
L'ÉCHAPPÉE MEXICAINE
25 février 2001 – 1er novembre 2001
→ MEXIQUE → GUATEMALA → SALVADOR → HONDURAS
→ NICARAGUA → COSTA RICA → PANAMÁ →

- 55 -
AUX PORTES DU MONDE
2 novembre 2001 – 10 mai 2002
→ COLOMBIE → ÉQUATEUR → PÉROU →

- 58 -
SUR LE DOS DU DRAGON
14 mai 2002 – 31 juillet 2002
→ PÉROU → BOLIVIE → CHILI →

- 69 -
LE DÉSERT D'ATACAMA
5 août 2002 – 2 décembre 2002
→ CHILI →

- 75 -
AUX PAYS DES « CHE »
3 décembre 2002 – 30 juin 2003
→ ARGENTINE → URUGUAY → BRÉSIL →

- 81 -
QUELLE BONNE ESPÉRANCE ?
2 juillet 2003 – 25 octobre 2003
→ AFRIQUE DU SUD →

- 86 -
« RAMBO » AU PAYS DU TEMPS
26 octobre 2003 – 8 avril 2004
→ SWAZILAND → MOZAMBIQUE → MALAWI →

- 95 -
DES CONTRÉES INDOMPTÉES
10 avril 2004 – 14 juillet 2004
→ TANZANIE → KENYA →

- 103 -
LES ENFANTS D'ABYSSINIE
15 juillet 2004 – 2 octobre 2004
→ ÉTHIOPIE →

- 112 -
UN MONDE SANS FEMMES
3 octobre 2004 – 29 décembre 2004
→ SOUDAN →

- 117 -
SEXE ET POLICE
30 décembre 2004 – 13 juillet 2005
→ ÉGYPTE → TUNISIE →

- 125 -
MES AMOURS
15 juillet 2005 – 28 octobre 2005
→ ALGÉRIE →

- 132 -
LA PEUR DU LENDEMAIN
1er novembre 2005 – 30 novembre 2005
→ MAROC →

- 135 -
DON JEAN QUICHOTTE
2 décembre 2005 – 30 mars 2006
→ PORTUGAL → ESPAGNE →

- 139 -
BONJOUR, MES COUSINS
31 mars 2006 – 23 juin 2006
→ FRANCE →

- 146 -
À TA SANTÉ, MON PÈRE!
28 juin 2006 – 2 octobre 2006
→ IRLANDE → ÉCOSSE → ANGLETERRE
→ BELGIQUE → HOLLANDE →

- 151 -
LE PETIT CHEVAL
2 octobre 2006 – 19 novembre 2006
→ ALLEMAGNE →

- 155 -
LE MOYEN-OCCIDENT
20 novembre 2006 – 6 mars 2007
→ RÉPUBLIQUE TCHÈQUE → AUTRICHE → SLOVAQUIE
→ HONGRIE → SERBIE → MACÉDOINE → GRÈCE →

- 162 -
ENTRE TROIS MONDES, D'ISTANBUL À TBILISSI
7 mars 2007 – 29 juillet 2007
→ TURQUIE → GÉORGIE → AZERBAÏDJAN →

- 173 -
MILLE ET UNE LIBERTÉS DANS LA NUIT
30 juillet 2007 – 29 octobre 2007
→ IRAN →

- 182 -
LE PAYS DES EXTRÊMES
30 octobre 2007 – 10 mai 2008
→ DUBAÏ → INDE → NÉPAL →

- 192 -
SOUS LE TOIT DU MONDE
12 février 2008 – 31 mars 2008
→ NÉPAL → INDE →

- 197 -
CINQ FOIS LE FLEUVE BLEU
17 mai 2008 – 8 août 2008
→ CHINE →

- 205 -
TECHNO ! JE T'EMBRASSE
9 août 2008 – 28 janvier 2009
→ CORÉE DU SUD → JAPON → TAIWAN →

- 211 -
LE PARADIS PERDU
30 janvier 2009 – 17 mai 2009
→ PHILIPPINES →

- 219 -
LA TERRE SOUS LE VENT
19 mai 2009 – 16 juillet 2009
→ MALAISIE (BORNÉO) →

- 224 -
LE PETIT EMPIRE DU RICHE SULTAN
8 juin 2009 – 18 juin 2009
→ BRUNEI →

- 227 -
TERRA AUSTRALIS COGNITA
20 juillet 2009 – 29 septembre 2010
→ SINGAPOUR → INDONÉSIE → TIMOR ORIENTAL → AUSTRALIE →

- 243 -
AU BOUT DU MONDE
11 octobre 2010 – 30 janvier 2011
→ NOUVELLE-ZÉLANDE →

- 245 -
LA DERNIÈRE MARCHE
20 février 2011 – 16 octobre 2011
→ CANADA →

- 253 -
Remerciements

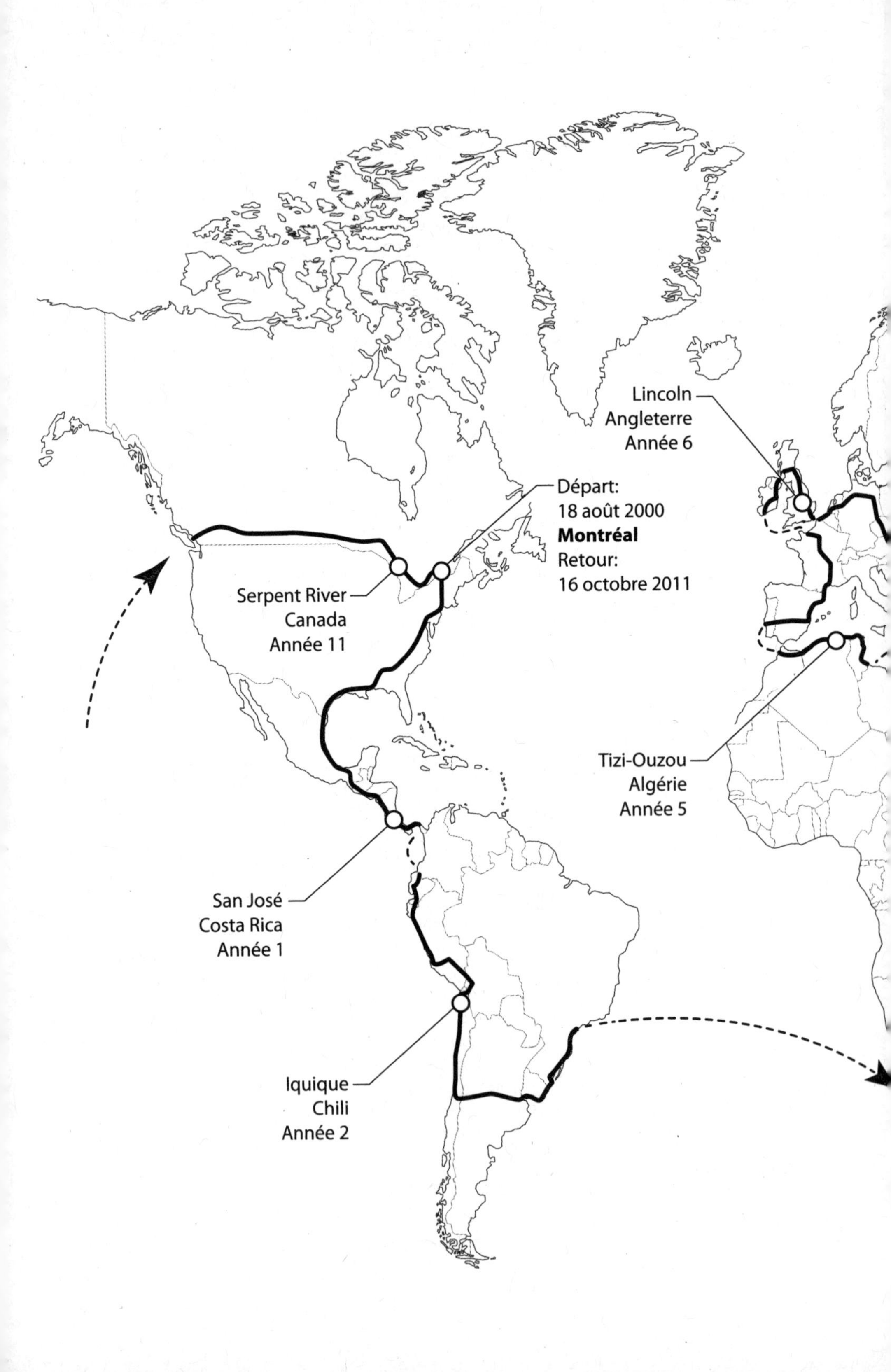

Lincoln
Angleterre
Année 6
Départ:
18 août 2000
Montréal
Retour:
16 octobre 2011
Serpent River
Canada
Année 11
Tizi-Ouzou
Algérie
Année 5
San José
Costa Rica
Année 1
Iquique
Chili
Année 2

Le tour du monde de Jean Béliveau

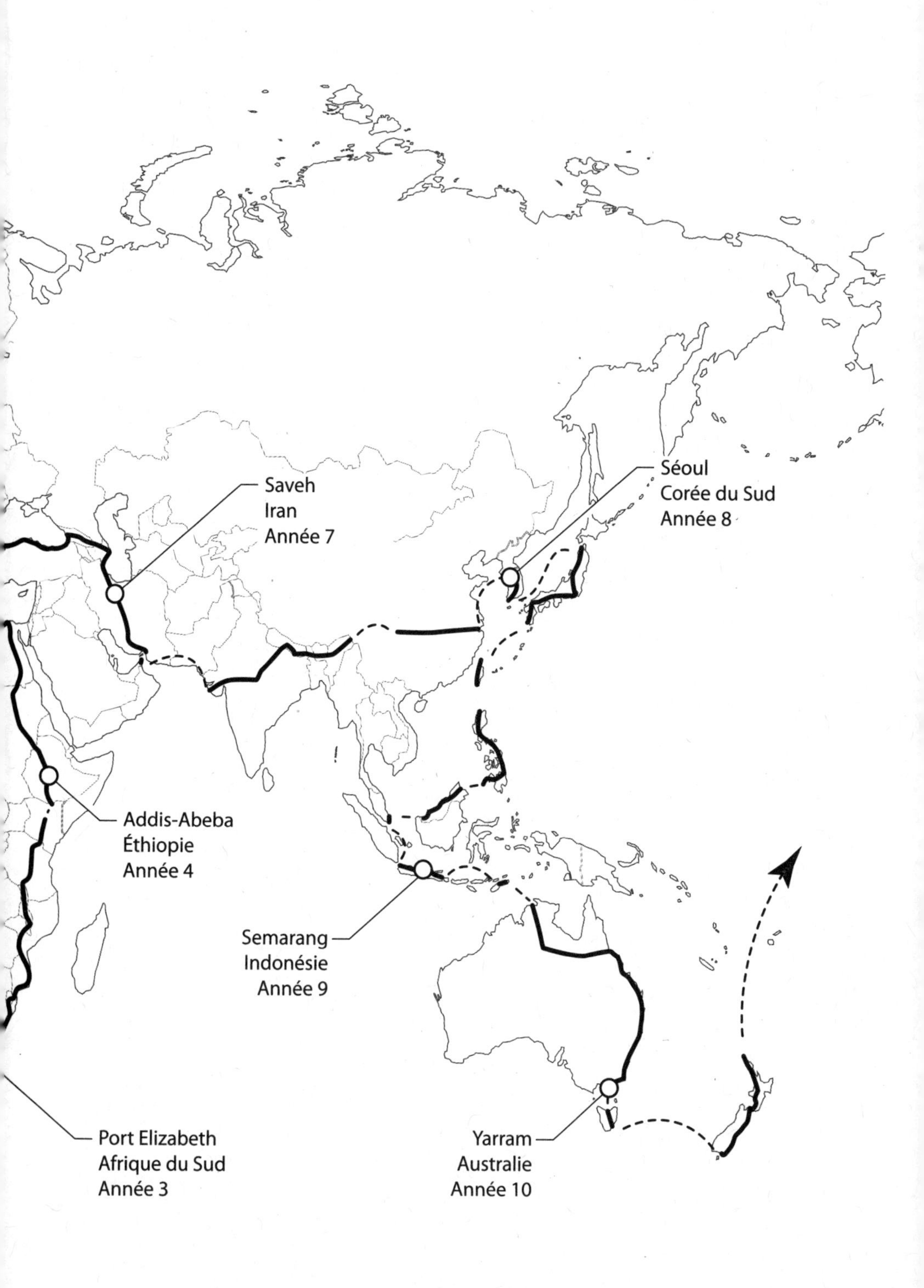

À ma chère Luce qui m'a soutenu
dans mon rêve tout au long des 4077 jours de marche.

AVANT-PROPOS

Moi, mes souliers

J'ai rencontré Jean pour la première fois un jour de septembre, quelque part sur la route entre Kingston et Wellington, en Ontario. Je réalisais un reportage sur ce doux dingue qui s'en retournait chez lui après avoir arpenté le monde, en fredonnant cet air du grand Félix auquel il me faisait irrésistiblement penser. *« Moi, mes souliers ont beaucoup voyagé... »* Il est apparu au détour d'une forêt en poussant son chariot, effleurant du soulier, justement – sa 53e paire ! –, les fleurs des champs poussées en désordre sur le bas-côté. Chapeau mou sur les oreilles. Sur sa poussette, un fanion unifolié. C'est à peine s'il s'est arrêté. Quelques minutes, pour saluer, puis il a repris sa marche, le regard tendu vers son but, si proche maintenant qu'il n'aurait pu tolérer de nouveau retard. Une seule de ses foulées comptait quatre de mes pas.

Nous avons peu parlé, ce jour-là. Jean s'est prêté avec patience aux exigences de la caméra, trottinant sur la route, méditant sous le soleil, revenant sur ses pas. Mais chacun de ses gestes, précis et économe, chaque ride de son regard racontait mieux que des mots les mille fragments de vie ramassés sur son parcours. Il y a longtemps, onze ans plus tôt, un désespoir profond l'avait jeté sur les chemins. Luce, son amour, l'avait compris et l'avait attendu.

Je ne sais ce qui m'a le plus troublée au cours de cette rencontre. La force de cet amour entre Luce et Jean, sûr et d'airain, le courage du marcheur, ou bien cette parcelle de rêve universel qu'il incarnait désormais, comme s'il avait fait cadeau au monde d'une histoire qui pourrait appartenir à chacun.

Nous avons tous un jour fait le rêve de partir. D'abandonner le monde, ses contraintes et ses règles, d'arracher les entraves en sortant de nous-mêmes, d'être *libres*.

Mais comment trouver le courage de le faire ? Et *pour quoi*, au nom du diable ?

Jean est parti sans but. Sans préparation, sans argent, il a pris la route un matin. Il ne le savait pas alors, mais il était *déjà* un homme libre.

C'est pour sonder la profondeur de cette liberté que j'ai proposé à Jean de l'aider à écrire son livre.

Pendant des mois, dans le petit bureau de leur appartement de la rue Dickson, nous avons parlé, parcouru les cartes, les itinéraires, les photographies. Puis, un jour, Jean le pudique, Jean le taiseux s'est levé, et du fond d'un placard a exhumé une boîte débordant de carnets. Vieux, usés jusqu'à la trame, tachés parfois de boue, de sel et de sable. Le journal de sa marche.

C'est en parcourant les milliers de pages de ce journal que je l'ai enfin compris. Mots désordonnés jetés au crayon, tantôt concentrés en paragraphes touffus, tantôt délayés en longues lignes éthérées, se perdant entre un schéma étrange représentant le « rien » et des croquis de la lune… J'avais le sentiment de tenir entre mes mains le journal du Petit Prince, tout de fraîcheur, d'étrangeté et de poésie éclatante.

Jean a gardé son âme d'enfant. Les années ont glissé sur son cœur neuf comme au premier jour et sur son regard naïf incapable de jugement. Il ne connaît pas la rancœur.

Je voulais comprendre comment un homme ordinaire avait pu accomplir ce voyage exceptionnel.

Mais Jean Béliveau n'est pas un homme ordinaire.

Il *est* la poésie, l'étincelle de folie du monde.

GÉRALDINE WOESSNER
Journaliste

LA GENÈSE

Affalé dans le canapé du salon, jambes immobiles, je laisse errer mes pensées en écoutant vaguement Luce préparer le repas. Tink. Chok. Clac, un tiroir. Luce respire, et je n'en reviens pas de l'entendre, là, tout près, juste derrière moi. Je l'écoute vivre comme on écouterait un air oublié de l'enfance.

Je suis rentré depuis quatre semaines, mais je n'ai toujours pas osé m'aventurer dans la remise. Avant mon départ, il y a onze ans, j'y avais rangé des boîtes pleines de souvenirs, les coussins des chaises longues, des outils… Les objets qui m'ancraient à mon univers fixe. «Tu as faim?» demande Luce en faisant tinter les ustensiles, et sa voix sonne comme un roulis de perles claires. Il faudrait que j'aille faire un tour dans la remise, je pense, sans bouger un cil. Les joints de silicone de la baignoire ont besoin d'être changés, et il faudrait renforcer la plinthe de la porte-fenêtre… Je m'enfonce un peu plus dans le moelleux des coussins. Voilà, nous y sommes. Je suis de retour et le monde et son effervescence me reprennent. Je ne pourrai pas – et je ne souhaite pas – y échapper. Les objets sont les totems de nos vies sédentaires, et de nouveau je vais m'attacher à en prendre soin. Mais je rêve de repousser l'instant, une heure encore, un jour, quelques semaines… En descendant les montagnes du Chili, je me souviens d'avoir rencontré une Française qui m'avait prévenu: «Tu ne seras jamais capable de retrouver tes habitudes.» Je riais d'elle, mais elle avait peut-être raison.

Moi qui m'étais senti parfaitement à l'aise dans les banlieues de Londres ou de Buenos Aires, je me retrouve perdu dans mon appartement. Peu de choses étaient précieuses alors : le roulement à billes de ma poussette, mes lunettes, mon chapeau. Depuis mon retour, chaque jour, je marche quelques heures à travers Montréal. Je pense aux différents cycles qui ont fait ma vie, et j'essaie de retrouver l'origine de cette marche. Je repense à mon enfance.

Je suis né, en 1955, dans une ferme laitière des Cantons-de-l'Est, près d'Asbestos. Il y avait nous – les cinq enfants – et une trentaine de vaches dont nous vendions le lait directement aux clients. Nous vivions très bien, jusqu'à ce que mon père soit exproprié… Au Québec, la loi donne la priorité aux gisements miniers au détriment des propriétaires, et notre ferme était située en bordure de la mine. Des camions de deux cents tonnes déversaient sur nos terres les résidus miniers. Mon père était inquiet ; avant lui mon grand-père avait déjà vu une partie de son domaine avalée par ces exploitants. Un matin, l'huissier est arrivé avec l'ordre d'expropriation : c'était fini. D'un coup. Mon père a tenté de négocier avec les gens de la mine, il a fait un procès. Je le revois, cultivateur modeste se présentant devant la cour au palais de justice, marchant trois pas derrière son avocat, comme s'il était un bandit. Son combat a duré trois ans, mais il ne faisait pas le poids face à l'industrie. Lorsqu'il a renoncé, il a acheté une autre terre, 10 kilomètres plus loin, mais toute cette histoire lui avait enlevé le goût de la ferme. Il a tout vendu, animaux, machinerie, pour ouvrir un camping et une salle de réception. J'avais quinze ans, nous entamions une seconde vie.

Il a fallu tout reconstruire. L'hiver, nous organisions des courses de ski de fond, l'été, nous recevions des banquets, des mariages. Nous avons eu de belles années, travaillant tous ensemble dans l'entreprise familiale. Mais mon père était un rêveur… Il a voulu creuser un lac pour « élever de la truite », se lancer dans la construction d'un golf… Aucun projet n'a abouti. Nous étions criblés de dettes. En 1981, j'étais alors marié et père d'un premier enfant, mais un jour, sur un coup de tête, j'ai quitté l'entreprise.

Est-ce que j'avais déjà, à l'époque, ces désirs de grands voyages, de grands départs? C'est une question qu'on me pose souvent, comme si le goût de l'ailleurs ou la soif d'aventure étaient inscrits quelque part dans les gènes, dès avant la naissance. Les gens semblent parfois déçus lorsque je réponds par la négative. L'idée ne m'avait jamais traversé l'esprit. J'aimais ma terre, ma famille, ma vie. Mais j'étais convaincu d'une chose: je devais en rester le maître, à tout prix. Enfant, une année de pensionnat avait marqué mon âme d'un souvenir atroce. Il fallait se brosser les dents à la file indienne, faire son lit à heure fixe, entrer dans les rangs. Les sœurs avaient imaginé un tableau pour noter les enfants: en face de votre nom, une fleur jaune indiquait que vous étiez un excellent élève. Il y avait la renoncule bleue, l'œillet rouge... et la marguerite mauve. La marguerite désignait les médiocres. Chaque semaine, je consultais ce tableau un nœud dans la gorge, certain de trouver mon nom dans le groupe des incapables. Une entreprise fait-elle autre chose? J'ai toujours pensé que je devais rester mon propre patron. Au moins, je n'aurais de comptes à rendre à personne. C'est en revoyant ce tableau que s'est ancré en moi ce sentiment profond: vivre libre est la seule façon digne de vivre. La liberté est plus importante que la vie.

Je n'ai jamais brillé à l'école, mais je savais dessiner. On me trouvait d'ailleurs un certain talent. J'ai acheté quelques pots de peinture et lancé une entreprise d'enseignes publicitaires. Pendant quelque temps, j'ai peint sur des camions de belles lettres à la main. Puis mon entreprise a grossi; j'ai trouvé des associés, embauché du personnel, acheté un entrepôt à Granby. J'excellais dans la vente: nos enseignes lumineuses ont même resplendi au Stade olympique! Ce cycle de ma vie a probablement été le plus « normal », et le plus productif. Je travaillais dur et parlais franc, décrochais des contrats, développais des marchés. J'attirais l'argent comme un aimant, et cela me ravissait d'en gagner.

C'est aussi à cette époque que j'ai rencontré la femme de ma vie. Luce était solide, mature, intelligente. Elle était plus âgée que moi, mais nos âmes se sont reconnues dès le premier regard. J'étais un gars simple. Elle était le mystère, la spiritualité… Luce m'a désinhibé.

Mes seuls voyages se résumaient à des congrès d'enseignes lumineuses à Orlando et Las Vegas. Luce, elle, avait visité l'Inde, le Népal, Israël, l'Égypte… Elle connaissait une foule d'histoires. J'ai passé notre premier été dans un enchantement, l'écoutant me raconter les légendes de Merlin, du roi Arthur, celle des chevaliers du Temple. La petite bibliothèque Grolier de mon père comprenait un atlas que je feuilletais le soir, après qu'elle m'eut décrit les conquêtes de Gengis Khān. La fantaisie de Luce m'a ouvert le monde, elle a su donner une autre dimension à ma vie. C'est alors que j'ai commencé à voyager dans mon esprit. J'avais aperçu une brochure chez l'un de mes clients, montrant un bateau sur une mer turquoise. J'ai commencé à prendre des cours de voile sur le lac Champlain et dans l'estuaire du Saint-Laurent ; je rêvais de construire un bateau dans ma cour arrière. Je me berçais de cette utopie en dévorant les récits des navigateurs, Moitessier, Tabarly, avec la même ferveur que j'avais mise, enfant, à construire un absurde bateau à hélices. « Ça ne marchera pas, mon gars… », m'avait dit mon grand-père. Je restais prisonnier, même de mes fantaisies. Un jour, je serais marin. Un jour, je lèverais l'ancre. Un jour…

Cela aurait pu se passer ainsi. J'aurais pu assembler des bouts de bois le reste de ma vie, comme mon père avait creusé son lac pour pêcher des chimères. J'aurais été l'un de ces millions de rêveurs qui enferment dans un fantasme des braises de poésie, quelques étincelles de folie, pour qu'elles y crépitent à leur aise sans risquer de consumer leur vie.

Mais la tempête est arrivée. Arrachant toutes les digues.

Le 5 janvier 1998, une terrible tempête de glace s'est abattue sur le Québec. Des trombes de pluie verglaçante ont déferlé pendant cinq jours, paralysant toute vie, s'accumulant sur les maisons et les pylônes. Blottis dans notre maison en plein « triangle noir », au cœur de la tempête, Luce et moi regardions, terrifiés, la glace écraser les érables et les câbles électriques. Heureusement, nous possédions un poêle à bois et avons pu nous chauffer lors de la panne de courant. Mais autour de nous régnait une atmosphère d'apocalypse. Réfugiées dans des camps de fortune, soutenues par l'armée, des milliers de personnes contemplaient leur monde se défaire. Quelques-unes sont mortes de froid. La tempête semblait ne jamais devoir prendre fin, comme si nous étions condamnés à rester à jamais plongés dans cette obscurité glaciale.

Il a fallu plus d'un mois pour rétablir le courant. Mais le traumatisme, lui, est demeuré. C'est comme si j'avais pris un coup dans les reins : je ne m'en suis jamais remis. Bien sûr, les commerces ont été affectés, et les projets de mes clients retardés. Nous avons eu un long temps mort, certains de mes plus anciens employés sont partis. Chaque jour, je me rendais à l'usine le front bas, épuisé. J'aurais pu redresser la barre, et j'ai bénéficié de programmes pour relancer l'entreprise. Mais les vents de glace avaient érodé ma cuirasse capitaliste. Je me sentais nu, fragile, mûr pour une crise existentielle majeure dont je ne pourrais jamais sortir. La faillite consommée, j'ai trouvé un emploi de représentant pour une entreprise d'enseignes à Montréal. Tous les matins, je boutonnais ma chemise avant d'aller vendre ma camelote aux clients, leur chantant la même musique : « Développement de projets – marketing – nouveaux marchés – produits... »

Dans ma voiture, je pleurais. À l'évidence, je souffrais d'une dépression. Mais la dépression n'est-elle qu'une maladie dont on peut guérir en prenant des médicaments ? Parfois, je pensais au suicide. J'avais quarante-trois ans, et je sentais que j'étais en train de perdre ma vie pour de l'argent.

J'ai commencé à marcher pour évacuer mon stress, puis je me suis mis à courir. La maîtrise de mon corps m'apportait un certain soulagement, comme si c'était le seul univers stable. Mes pensées s'envolaient… J'ai toujours eu l'attrait de l'argent, seule façon d'exister dans nos sociétés modernes. J'avais construit ma vie en acceptant ce jeu dont je maîtrisais les règles. J'étais un bon vendeur, j'aurais pu vendre n'importe quoi. Dans le passé, j'avais tenté d'obtenir plus de mes associés – j'avais joué des coudes, biaisé sans vergogne, élaboré des stratégies complexes. J'avais épuisé toutes les tactiques de la survie moderne. Brusquement, toutes les valeurs sur lesquelles ma vie reposait étaient en train de s'écrouler. Par quoi les remplacer ? Qu'allais-je faire du reste de ma vie ? Quelque chose en moi s'était brisé, jamais plus je ne pourrais supporter un monde compétitif. Je me sentais acculé, les épaules collées au mur. J'avais besoin de valeurs profondes, humaines… Mais au fond, je ne savais pas ce qui me manquait.

Ni par où m'échapper.

Le choix était simple : la mort ou la fuite. Mais il fallait que ce soit vers quelque chose de fou, d'extrême, de risqué…

J'avais perdu mon âme. Je devais partir à sa quête.

Un jour de novembre 1999, revenant des quais du Vieux-Port, je courais en longues foulées régulières en direction de l'île Sainte-Hélène sur le pont Jacques-Cartier quand une fantaisie m'a traversé l'esprit. Jusqu'où pourrais-je aller si je continuais ? J'ai commencé à calculer les distances. Combien de temps jusqu'à la frontière, New York, le Texas, le Mexique… Et après ? Combien de temps faudrait-il à un être humain pour faire le tour du monde en courant ?…

Ma dépression s'est envolée à l'instant précis où cette idée, aussi insensée soit-elle, s'est emparée de moi. De retour à la maison, j'ai étendu fébrilement ma mappemonde, le compas à la main, en imaginant différents tracés. C'était possible, ça devait l'être. J'ai consacré les mois suivants à accumuler les cartes, peaufinant mon itinéraire dans le plus grand secret. Luce ne devait se douter de rien. Il me fallait entendre que ce n'était pas si fou : je racontais mon projet aux quidams que je croisais en courant, aux sans-abri dans le parc, aux pompiers qui m'offraient à boire, et même à quelques collègues de travail. Un jour, tout est apparu devant moi dans une organisation parfaite : j'allais traverser les cinq continents. Sans m'arrêter, cela me prendrait plusieurs années.

J'ai senti la force se répandre en moi.

L'ANNONCE

J'avais arrêté la date: le 18 août 2000, jour de mon anniversaire, allait être celui de ma métamorphose. Jean le marcheur laisserait derrière lui Béliveau le poseur d'enseignes pour avaler le monde ou s'offrir à lui, l'avenir le dirait. J'avais préparé mon corps à l'épreuve: vaccins, orthèses – quelle vexation de découvrir, en rencontrant un podologue, que j'avais les pieds plats! –, examens médicaux divers... Mes cartes étaient prêtes, ma détermination, sans faille. Mais l'étape la plus douloureuse restait à franchir: il fallait que j'annonce la nouvelle à Luce et à ma famille. J'ignorais totalement comment chacun allait réagir, et la question me taraudait à mesure que le moment approchait. J'avais résolu de prévenir tout le monde à la dernière minute, craignant que ceux qui m'aimaient puissent briser mon rêve. Ils ne devaient pas avoir le temps de le faire. Luce elle-même m'avait dit un jour: « Quand tu as un rêve très important, il faut le garder pour toi afin d'éviter qu'il ne s'effrite. »

Au matin du 23 juillet, quatre semaines avant mon départ, j'enfilai ma tenue de course en écoutant Luce s'affairer devant la table du petit déjeuner, fébrile et tendu après une nuit d'insomnie. Ma série d'étirements dut donner l'impression que je tentais de repousser les murs.

– Ça ne va pas? me demande-t-elle.

– J'ai quelque chose à te dire.

Au ton dramatique de ma voix, elle s'immobilise net.

– J'ai décidé de boucler la boucle.

Alors que je dessine du doigt un cercle imaginaire, un silence glacial s'installe, et je comprends brusquement qu'elle croit que je lui annonce mon suicide. Soudain, les phrases que j'avais préparées s'envolent et je dévoile mon projet d'un souffle.

– Je vais partir faire le tour du monde à pied. C'est pour ça que je m'entraîne, je vais le faire à la course.

– Mais comment vas-tu vivre ?

– Je dormirai chez les gens, je demanderai la charité. J'ai trouvé un petit chariot, je vais emporter mes bagages dedans.

Chère Luce ! Si entière, si transparente. Dans l'intervalle des longs silences qui ponctuent ce bref échange surréel, je vois défiler dans ses yeux tout l'arc-en-ciel des émotions. Ses questions sont directes, précises, comme si elle s'accrochait aux panneaux du décor pour éviter de sombrer dans l'abîme.

– Reviendras-tu à la maison ?

– Non. L'idée, c'est de partir faire une marche et de revenir le soir, quand elle sera finie. Sauf que ce sera dans plus de dix ans. Toi, par contre, tu pourras venir me voir.

– Est-ce que tu veux qu'on se sépare ?

– Non, bien sûr que non ! Je t'aime, je veux qu'on continue ensemble, mais il faut que je parte. Si tu veux reprendre ta liberté, je comprends. La décision t'appartient.

Tout s'est joué là, pendant ces quelques secondes. Je faisais un pas dans l'inconnu, comme un aveugle. J'aurais pu tomber dans un précipice… Puis j'ai senti, imperceptiblement, que le terrain était solide. Après une interminable minute, elle a plongé son regard dans le mien.

– OK. On essaie.

Nous sommes tombés dans les bras l'un de l'autre, et très vite, les détails sont venus. Je lui ai montré mon dossier : les cartes, les plans, les estimations de distances. « Tu dois le faire pour la paix », s'est-elle aussitôt exclamée. Chère Luce, si militante ! Je ne pensais qu'à la fuite… Elle avait déjà trouvé sa cause.

Mon fils Thomas-Éric nous a trouvés les yeux rougis, échevelés, agitant furieusement les bras au-dessus des cartes étalées entre les tasses à café. Je le revois s'encadrant dans la porte avec la nonchalance de ses vingt ans, une paire de rollers nouée autour du cou.

– Je vais faire le tour du monde à pied. Je pars le 18 août, ai-je dit simplement.

Son éclat de rire sonore, clair comme une source, résonne encore dans mon cœur comme une explosion de joie. Il n'a eu qu'un mot :

– Coooool !

Si étonnant que cela puisse paraître, mis à part la discipline imposée à mon corps, je n'avais rien préparé du tout. Les trois semaines qui ont précédé mon départ se sont envolées dans un tourbillon logistique. Le maigre salaire de Luce ne lui permettant pas de m'entretenir, il fallait d'abord trouver l'argent. Après ma démission, le solde de mes comptes me laisserait un pécule d'environ 4000 dollars… Il faudrait s'en contenter pour faire le tour du monde. Le petit chariot que j'avais repéré, une simple poussette de bébé à trois roues, serait suffisant pour transporter quelques effets indispensables : un sac de couchage, un peu de vaisselle, quelques vêtements, une trousse de premiers soins. Je n'ai pas pris la peine d'essayer la tente achetée deux jours avant mon départ. Et pourquoi s'encombrer d'un réchaud ? Je ne suis pas un gourmet, je me satisferai de conserves froides… Par la suite, naturellement, la route m'a apporté tout ce dont j'avais besoin. Des rustines, une lampe de poche : il en faut peu pour marcher le monde. Deux jambes, trois roues, de la ténacité et surtout de l'amour. Sans amour, jamais je n'aurais pu achever cette marche.

Le jour de mon départ, j'en avais le cœur gonflé. Je revois mon père déclarant dans un sourire : « C'est quelque chose que j'aurais aimé faire. Vas-y, mon fils.» Ma mère s'accrochait à moi en pleurant: «Il faut que tu y ailles, il faut que tu y ailles!» Et ma fille Élisa-Jane, alors enceinte de trois mois: «Cours Forrest, cours!» À neuf heures, au matin du 18 août 2000, une dizaine de personnes se dandinaient autour d'une poussette à l'angle des rues Wolfe et Sainte-Catherine, sous les drapeaux arc-en-ciel qui ornent les façades de ce coin du Village gai. L'Unesco ayant institué la Décennie internationale de la promotion d'une culture de la non-violence et de la paix au profit des enfants du monde, Luce avait trouvé une cause. Convaincue que mon aventure naissante allait passionner les médias et provoquer dans le pays une immense collecte de fonds, elle avait convoqué la presse à huit heures. Aucun journaliste n'est venu. Avec un sourire forcé, mon père m'a virilement tendu un petit sac bleu. «Tu regarderas plus tard.» Élisa-Jane pleurait, Luce restait silencieuse. Nous nous sommes embrassés, longuement. Intensément.

Et je suis parti.

Arrivé au milieu du pont, j'ai ouvert le petit sac bleu. Il contenait une liasse de 500 dollars, et un sachet de fromage en grains… Mon préféré.

GOD BLESS YOU

19 août 2000 – 25 février 2001

→ **ÉTATS-UNIS** →

C'est un petit bâtiment de brique rouge, niché au creux d'un décor champêtre. Devant moi, la route 221 s'étire en ligne droite entre les champs de maïs pour se perdre au loin dans l'obscurité d'un bois. J'avais imaginé un poste-frontière plus imposant, pour protéger l'entrée de la première puissance mondiale... Je m'arrête un instant pour dessiner un homme marchant autour d'un globe sur la bâche de ma poussette, dans l'espoir de faire comprendre la raison de mon voyage aux douaniers américains. Je suis un peu fébrile – le résultat, peut-être, d'un réveil agité. Alors qu'une jeune femme m'avait autorisé à installer ma tente au fond de son jardin, son mari et son père, rentrés pendant la nuit, m'en ont délogé *manu militari* à cinq heures du matin. « Dehors ! C'est pas des manières de faire la paix ! » Il va falloir que je m'habitue à être traité, parfois, comme un vagabond. Après tout, n'est-ce pas ce que je suis ? Un type qui trotte le jour et qui dort sous les ponts. À cette différence près que j'ai un but. Aujourd'hui, c'est de traverser la frontière.

Un douanier moustachu et ventripotent me fait signe de la main, contemplant ma poussette d'un air impénétrable. Je lui tends le petit carnet noir sur lequel j'ai collé une lettre d'introduction rédigée en anglais par Pierre Bourque, le maire de Montréal à l'époque, pour faciliter mes démarches, ânonnant mes explications. « *My name is Jean Béliveau, from Montréal. I walk around the world, going to Mexico, South*

America and then South Africa and... » Il m'écoute placidement, puis me fait signe de passer. Tout simplement. À peine ai-je franchi la ligne qu'il propose gentiment de remplir mes bouteilles d'eau à l'intérieur du poste. « *Good luck! Welcome to the United States!* »

C'est tout.

Je suis aux États-Unis, et je n'en reviens pas de la simplicité de l'affaire. Si toutes les frontières sont aussi faciles à franchir, nous serons bientôt nombreux à faire le tour du monde! Chazy, Keeseville, Hudson Falls... Mes premiers jours de voyage passent comme dans un rêve. Convaincue que la médiatisation de mon aventure serait la meilleure façon de garantir ma sécurité, Luce se démène, depuis Montréal, pour y intéresser les journalistes. Quelques articles ont déjà dû paraître, car on m'accueille dans les villages comme si j'étais attendu. On me lance des saluts depuis le seuil des maisons, les voitures klaxonnent, « Va, mon gars, va! New York t'attend! ». Je me sens comme une star et, le soir venu, de chaleureuses familles m'accueillent sous leur toit. Une étonnante chaîne d'hospitalité se met en place, et je suis parfois gêné des commentaires admiratifs que suscite ma démarche.

J'arrive à New York, au quinzième jour, dans une espèce d'euphorie, convaincu que Kofi Annan me recevra sans difficultés à l'ONU et que les meilleurs shows télévisés m'ouvriront leurs studios.

Quel naïf!

Me voilà poussant mon chariot dans les couleurs verdoyantes à travers Central Park, jusqu'au siège de l'ONU. Comme il a dû me trouver bizarre, ce touriste qui m'a pris sans doute en pitié en me filmant : un type en short et camisole encombré d'une poussette, interpellant les employés qui sortent de l'enceinte en costume et attaché-case. « Qu'est-ce que vous faites là ? me demande-t-il. – Mais je viens voir Kofi

Annan, quelle question… Il est là ? » Ses yeux glissent lentement de mes mollets poilus au petit drapeau québécois qui orne ma poussette. Il secoue tristement la tête. « Vous ne pourrez pas entrer. Vous devriez prendre contact avec votre consulat… » Mon assurance s'est envolée d'un coup. J'étais à l'étranger, au cœur d'une ville immense, amaigri, fatigué, et sans même un endroit où passer la nuit. Rebroussant chemin jusqu'au Rockefeller Center, je me présente au consulat dans le même accoutrement. Embarrassée et me prenant pour un vagabond, l'employée de l'accueil me propose un billet de bus pour rentrer à Montréal, mais devant mon insistance, elle saisit son bottin et parvient finalement à dénicher une communauté religieuse qui accepte de m'héberger. Dans l'atmosphère quasi monacale d'une jolie chambre offerte par l'église Saint-Jean-Baptiste, je passe neuf jours à échafauder des plans compliqués pour tenter de pénétrer dans l'enceinte de l'ONU et faire connaître ma marche… Sans succès.

Au matin du 11 septembre, je me résigne à reprendre la route, me promettant de me concentrer désormais sur des objectifs plus modestes. À tous les points de vue. Lorsque je quitte Staten Island, il ne me reste que 12 dollars dont je décide de me contenter jusqu'à la fin de la semaine, dormant dans des abris de fortune. Un soir, la nuit me surprend dans un petit village qui semble déjà endormi, pas une âme ne flânant dans les rues désertes. Le ciel noir grogne sourdement, annonçant l'orage. Je fais halte devant un bâtiment ressemblant à une église, et après un instant d'hésitation, je pousse doucement la porte grinçante. Autour d'une statue de Marie portant le corps de Jésus, je distingue des rangées de plaques gravées sur les murs… Je suis dans un mausolée ! Un éclair déchire l'obscurité et dehors la pluie se met à tomber. En silence, le geste caressant, j'installe précautionneusement mon matelas sur le sol, entre les morts, et m'endors en imaginant leurs voix me souhaiter une bonne nuit. Je m'enfuis au matin par la porte de derrière, vaguement honteux d'avoir perturbé leur sommeil éternel.

La route traverse un chapelet de villages coquets, enchâssés dans une nature déjà flamboyante des couleurs de l'automne. Pourtant, le soir venu, je ne trouve pas d'endroit où dormir, et je continue ma route, les muscles endoloris, espionnant les lumières et la lueur bleutée des postes de télévision à travers les rideaux des intérieurs paisibles. Je déprime. « Qu'est-ce que je fais là ? » J'ai faim, j'ai mal aux genoux, je cours comme un insensé alors qu'il me suffirait de sauter dans un avion. Demain je pourrais être à la maison, avec Luce… Mais cette pensée en entraîne aussitôt une autre : si je rentre, il faudra retourner travailler. Le seul fait d'effleurer cette idée me torture. Souffrance contre souffrance, je préfère encore marcher. Je trotte en broyant du noir jusqu'à Philadelphie, principale métropole de la Pennsylvanie, entourée d'une banlieue pauvre et sinistre que je traverse dans une ambiance de cour de pénitencier. « Ne regarde personne dans les yeux et cache ta montre dans tes poches », me conseillent quelques bonnes âmes. Mais la nuit commence à tomber, je dois trouver où dormir. Dissimulant ma poussette à l'arrière d'une église, j'entreprends une tournée des pavillons alignés les uns contre les autres, les fenêtres barricadées par d'épaisses barres de fer. Personne ne m'ouvre. Pire, j'entends les verrous claquer à travers la porte ! Impossible de rester ici. Alors que je m'éloigne, un groupe de jeunes m'encerclent et me provoquent en bousculant mon chariot. Je dois les repousser physiquement, volonté contre volonté, force contre force, ce qui me plonge dans une colère noire. Je hais la violence, et je dois apprendre à éviter de me retrouver dans pareille situation. Un peu plus loin, un couple de retraités auquel je demande mon chemin écarquille des yeux affolés : « Vous ne pouvez pas aller par là, il est trop tard. Vous n'y arriverez pas vivant ! » La vieille dame m'accompagne au couvent, mais les sœurs sont sorties. Elle-même s'en va pour quelques jours... La police ne vient pas ici, les taxis non plus. Pas d'issue. Sur le perron d'une pizzéria, j'aperçois un homme qui me conseille: « Tu n'as qu'une seule option. Continue vers le sud sans t'arrêter pendant dix kilomètres. Marche vite et ne parle à personne. Que Dieu te protège! » À ces mots, la peur m'oppresse comme une chape de plomb. L'adrénaline, aussi. Je DOIS sortir d'ici! Après deux heures d'une course effrénée, j'arrive dans un quartier résidentiel bordé de jolies maisons entourées de jardins fleuris, où je fais halte pour reprendre mes esprits. Voilà les États-Unis, me dis-je. Un pays dans lequel se côtoient le meilleur et le pire, une terre de contrastes où la population est capable de s'unir autour de valeurs profondes, en même temps qu'elle tolère des disparités inouïes. Dans l'une des plus grandes démocraties du monde, les gens se barricadent et s'enferment en prison, la peur les paralyse.

Si je veux survivre dans le vaste monde, il va me falloir apprendre à apprivoiser les grandes villes. À la sortie de Philadelphie, après avoir franchi un pont, je me retrouve coincé dans un dédale d'autoroutes, de voies secondaires et de couloirs de service desservant l'aéroport, s'entrecroisant sur des largeurs impressionnantes. Le trafic est déjà saturé lorsque je m'engage dans ce labyrinthe à contresens, ne sachant comment m'en sortir. Les chauffeurs des minibus de l'aéroport me remettent dans le bon sens, décontenancés par ce « tourdumondiste » qui leur semble plutôt être un fou suicidaire. Je m'en moque, je n'ai plus qu'une hâte: m'enfuir de cette ville!

Je retrouve la campagne avec soulagement. Je me force à penser que chaque épreuve est en réalité un précieux apprentissage, que je ne commettrai plus jamais ces erreurs, mais en songeant aux pays autrement moins nantis que je devrai traverser, je suis pris d'un frisson d'angoisse. Si Philadelphie me donne des sueurs froides, comment survivrai-je à Buenos Aires, à Téhéran, à Delhi? « Arrête de réfléchir, me sermonne

Luce au téléphone. Concentre-toi sur ta cause, sur la marche, c'est tout ce qui importe. » Elle a raison, évidemment. Sur un plan purement pratique, j'ai d'ailleurs tout lieu de me réjouir : mes 12 dollars ont tenu beaucoup plus qu'une semaine. Les Américains débordent d'enthousiasme pour les causes un peu folles, et je rencontre chaque jour un passant tout heureux de me glisser un billet en m'appelant Forrest Gump. Au moins, je les fais rire… Pourtant la précarité de ma situation provoque en moi des sentiments ambigus, comme si mon inconscient trop habitué à la sécurité résistait à me suivre dans cette aventure. J'ai peur de *manquer*. Depuis quelques jours, alors que j'ai été contraint plusieurs fois de dormir dans les bois, cette pensée m'obsède au point que je développe une sorte de psychose liée à la nourriture. Je me surprends à observer les déchets sur le bord de la route. Bouteilles de verre, de plastique, papiers de bonbons, boîtes de gâteaux, il y en a partout et à chaque fois je m'arrête pour voir s'il reste à l'intérieur quelque chose à manger. Je dois me retenir de fouiller les poubelles. Toutes ces choses jetées ! Des outils, des morceaux de bois, de métal, de plastique… Quel gâchis. Et les sous ! Je traque les cents scintillant sur l'asphalte, c'est plus fort que moi, et j'en trouve. Dans un éclair de lucidité, je me dis que mon instinct de survie est en train de partir en vrille, il s'offre une petite explosion avant de se résigner. Et de fait, mon obsession s'estompe bientôt, remplacée par une autre.

Comment faire en sorte que l'on parle de ma marche ? La nécessité de trouver des commanditaires me tourmente. Luce passe un temps fou à tenter de convaincre les journalistes de parler de moi, et je ne manque jamais, traversant un village, de faire un tour au journal. Dès que j'évoque la cause des enfants que je défends, les regards s'attendrissent et les compliments fusent : « C'est formidable ce que vous faites », « vous nous rendez l'espoir », « quel courage ! », etc. Je ne m'attendais pas à rencontrer auprès de la population un écho aussi favorable, et je me désespère de ne pas trouver de commanditaire ni de grand mécène à la hauteur de mon projet. J'espère beaucoup de mon passage à Washington, où je serai reçu par une ancienne connaissance de la famille travaillant dans les médias. Dans la maison de Guy, à la fin du mois de septembre, nous discutons longuement autour d'un verre de vin des raisons qui m'ont poussé sur la route... Mais s'il me console de mon désenchantement, il ne fait aucun geste pour m'aider. Et quelques jours plus tard, il envoie à Luce un message qui me bouleverse profondément. Mon « intention », dit-il, de faire le tour du monde ne constitue pas une nouvelle. Mais surtout il doute de mon intégrité... « Jean ne m'a pas semblé avoir bien des choses à dire sur l'utilisation des enfants dans les conflits à travers le monde, écrit-il. Il a décidé de faire cette marche par défi personnel. Quand on se dit le porteur d'une cause, on a la responsabilité de s'y intéresser. Sinon, on se sert de la cause plutôt que de la servir. Mais il n'est pas trop tard ! Il ne fait que commencer... » Pendant plusieurs jours, je m'enferme en moi-même, dormant au fond des bois, refusant de voir quiconque. Et s'il avait raison ? Si j'étais hypocrite ? Je me moquais totalement, lorsque je suis parti, de soutenir une cause. Je n'en avais pas besoin ; Luce, oui. Pour supporter mon absence, donner un sens à cette folie et la transformer en un projet commun digne de sacrifier dix années de sa vie... Guy a raison. Je n'ai pas le droit de tromper la générosité de ceux qui me soutiennent. Pour porter l'espoir, j'ai le devoir de m'imprégner totalement de la cause des enfants. Mais comment ? Un matin, en recevant à travers le feuillage les premiers rayons du soleil naissant, j'ai brusquement une révélation. Ce n'est pas moi qui « ferai » cette cause. Je me contenterai d'être bon, juste, irréprochable ; d'agir en accord avec les principes de dialogue et de tolérance que je prône. Je serai cette « paix » que je souhaite aux enfants. Et en l'incarnant, j'entraînerai, peut-être, les hommes dans mon sillage…

J'entre dans Atlanta le 3 novembre, tiraillé par de terribles douleurs aux genoux. Depuis des jours, une violente crampe paralyse les muscles de ma jambe gauche. Je m'étire, clopine, tente de modifier ma façon de courir… Rien n'y fait. Mon corps ne supporte pas le rythme d'un marathon par jour. La solution est simple, évidente : je dois cesser de jouer les Forrest Gump et me mettre à la marche pour le reste du parcours. Même si elle implique un voyage plus long, cette décision me soulage, et je me réjouis de pouvoir laisser mes pensées se perdre librement en flânant sur la route. Pour la première fois j'expérimente la solitude, et je découvre, surpris, qu'elle ne me pèse pas. Au contraire, je savoure ces instants où mes pensées s'envolent tandis que je me laisse doucement hypnotiser par le mouvement des roues glissant sur l'asphalte. Je prends le temps de rêver, de réfléchir, de me glisser calmement dans l'intimité des familles. De ces instants volés à l'âpreté du monde, tout m'enchante. Les *grits* du petit déjeuner préparés par Mary, portant dans ses bras fins un bébé de quatre jours ; les fous rires échangés avec les enfants de Ramona en croquant nos pizzas tartinées de crème glacée ; les prières partagées dans la cuisine de Pat, œuvrant pour son salut dans le respect de la Bible… Les portraits s'accumulent dans ma galerie privée, composant une fresque mouvante que je visite chaque jour, retouchant un tableau, ajoutant une scène.

Les nuits sont de plus en plus froides, et je crains que l'hiver ne me rattrape sur ces routes sinueuses et vallonnées de Géorgie. Tandis que je descends vers le sud, le paysage change imperceptiblement. De longs filets vaporeux de « barbe espagnole » apparaissent sur les arbres, annonçant le climat et les mœurs plus doux de la Louisiane, et alors que je marche entre les maisons grises en m'inquiétant de mes ressources pour les prochains jours, l'esprit du Thanksgiving déferle soudain sur moi. C'est une journée à part, tout à fait étonnante dans une société aussi profondément individualiste. C'est le temps des récoltes et des mercis à Dieu, le temps de l'amour et du partage. Alors que la veille encore je déboursais une somme folle pour une part de pizza, ce matin du 26 novembre, les gens se bousculent littéralement autour de ma poussette, chargés de victuailles. Jour béni où l'on se dispute l'honneur d'inviter le vagabond à sa table! Dès dix heures, une camionnette fait halte sur le bord de la route et ses occupants m'embarquent sans plus de cérémonie pour m'emmener à leur table. Et quelle table! La maison des Cahoon déborde d'une nombreuse parenté rassemblée autour de plats fumants que les enfants contemplent, des étoiles dans les yeux. Dinde, patates sucrées, pâtisseries de toutes sortes... Condamné depuis des semaines à des conserves froides, je me régale de cette délicieuse cuisine et de cette ambiance de fête, et repars les bras chargés d'un gros sac d'arachides. Mais à peine ai-je fait quelques pas qu'un vieil homme fond sur moi, posant d'autorité sur le haut de ma poussette une pile de boîtes en plastique débordant d'un deuxième repas. Il me donne aussi de l'argent, « pour ce soir ». Une demi-heure plus tard, c'est un couple qui s'arrête pour m'offrir une assiette pleine de dinde et de gâteaux soigneusement emballés. La pile de nourriture vacille sur le haut de ma poussette. Les offrandes se poursuivent tout au long de la journée, et je m'endors sous un pont, lesté de vin et de victuailles, le portefeuille gonflé de 140 dollars.

J'atteins les bayous de la Louisiane au matin du 10 décembre, et je marche le cœur transporté entre les maisons sur pilotis portant des noms enchanteurs, *C'est si bon*, *Rêve réalisé*... Dans quelques jours, je dois retrouver Luce à La Nouvelle-Orléans, et j'ai le cœur qui chavire.

Un mois plus tard, au Texas, je repense à ces instants de bonheur fulgurants en plongeant mon regard dans les immenses yeux tristes d'une fillette de un an. Elle vit dans un centre d'accueil pour sans-abri de la ville d'Orange, où les policiers m'ont conduit pour que je passe la nuit. Il est interdit de dormir dehors, au Texas, pour des raisons de sécurité, m'a-t-on dit. Cette enfant aurait pourtant été moins en danger dans la rue. Sa mère la tient serrée contre sa poitrine, murmurant des chansons, le regard perdu dans le vide. Elle m'explique que son mari les battait, toutes les deux. Il vient d'être condamné et elle ne sait pas quoi faire. « Tu l'aimes, ton mari ? » Elle : « Je crois que oui, mais on me conseille de ne plus le revoir… » Et l'enfant tremble dans ses bras, si petite et déjà terrifiée par la vie. Je caresse doucement ses cheveux soyeux, le cœur serré. Je lui parle avec les yeux : « Que peux-tu faire, ma douce ? Ta mère semble prisonnière d'elle-même… Elle y retournera. »

Les pick-up s'arrêtent à ma hauteur. « Tu as besoin d'eau ? Tu vas bien ? » Et je suis frappé du contraste entre leur sollicitude souriante et le message agressif qu'envoie le lourd révolver posé sur le tableau de bord. Je décide que ces gens ont peur, autant que les habitants barricadés de la banlieue de Philadelphie. Alors ils s'équipent de griffes, ce qui fait aussi leur force en leur donnant un caractère offensif. Dans quelle mesure la propagande médiatique sur les dangers supposés du monde affecte-t-elle leur subconscient ? Les Américains ne voyagent pas, ou si peu… En voyages organisés, comme des enfants pris en charge. Comment pourraient-ils savoir ? Pour la première fois, je me questionne vraiment sur la liberté. L'Amérique du Nord est-elle réellement un modèle ? Je le découvrirai bientôt, les terres de liberté existent partout dans le monde. Et en Iran, je rencontrerai davantage d'esprits libres qu'au long des mois passés dans le sud des États-Unis. Les pires aliénations sont celles que l'on s'impose soi-même.

Peut-être est-ce cette vulnérabilité qui rend les Américains si attachants.

Alors que je marche vers Corpus Christi et la frontière du Mexique, laissant mes pensées voler au-dessus des champs de coton, je me sens soudain libre. Libre de ne pas juger les êtres, de ressentir et d'accepter toute leur complexité car je n'attends rien d'eux, j'évolue en dehors des interactions sociales ou économiques. Les pensées qui me viennent sont celles que je choisis. Et je vois encore cet homme dévalant la colline en courant. « Attends ! Eh ! attends-moi ! » Il savait qui j'étais, dans sa maison là-haut il avait lu un article. Il voulait me parler de sa vie. Des amis avec lesquels il pêchait, et qui avaient toujours une aigreur sur le cœur, contre le gouvernement, contre toutes sortes d'affaires. « Moi ça ne me convient pas. Je regarde la nature et j'essaie de jouir de la vie. » Et soudain il me dit : *« Enjoy ! Enjoy your life ! »*, en me poussant doucement sur le chemin, du bout des doigts.

Ses mots se sont accrochés aux rayons du soleil, je les ai attrapés.

Enjoy your life.

Je les ai toujours gardés.

L'ÉCHAPPÉE MEXICAINE

25 février 2001 – 1er novembre 2001

→ MEXIQUE → GUATEMALA → SALVADOR → HONDURAS → NICARAGUA → COSTA RICA → PANAMÁ →

Mon passage vers le Mexique m'a totalement déboussolé. Sur le pont qui enjambe le Rio Grande, le 26 février 2001, j'ai brusquement senti mes repères se disperser au vent, emportés par le souffle puissant du Sud et de la nouveauté. Six mois et huit jours s'étaient écoulés depuis mon départ. Je me pensais aguerri, attentif aux écueils, capable de me fondre dans les vies rencontrées et habitué à écouter les appels de mon corps. Mais rien, dans le monde occidental que je quittais enfin, ne m'avait préparé à affronter un tel déferlement de bruits, de couleurs, d'étrangeté. Dans cette mer d'exotisme, j'ai manqué me noyer.

À quelques jours de marche du Mexique, alors que je traversais l'immensité aride du Ranch King, j'avais sympathisé avec un étonnant garde-frontière. Moïse – un nom prédestiné – m'avait abordé un soir, juste avant le crépuscule, s'inquiétant de savoir ce qui pouvait motiver la présence dans ce désert d'un grand Blanc s'en allant vers le sud en traînant une poussette, un mouchoir sur la tête. « Il fait chaud », j'avais dit. Et il m'avait donné de l'eau, visiblement soulagé de ne pas avoir trouvé d'enfant dans mon petit chariot. « La zone fourmille de clandestins qui essaient de passer aux États-Unis », m'avait-il expliqué pour justifier la présence constante de patrouilles militaires. « Il y a des trafiquants de drogue, mais aussi beaucoup de pauvres gens rêvant de jours meilleurs… » Il aimait son métier, Moïse. Même s'il les arrêtait, il venait surtout en aide à des familles entières, épuisées, affamées, ruinées par les passeurs, échouant sur ces terres arides sans lait pour leurs bébés. « Malgré mon uniforme, je fais de l'humanitaire. » Moïse est de ces hommes simples qui vivent sans le savoir au panthéon de l'humanité, se promenant dans la vie en faisant le bien. Il m'a pris sous son aile, comme naturellement, l'air de ne pas y penser. « J'ai une bonne amie à Matamoros, de l'autre côté de la frontière. Elle va te recevoir, j'ai tout organisé. »

Et me voilà ce matin du 26 février, naviguant dans la circulation entre les comptoirs surchargés d'agrumes, sous un soleil de plomb, étourdi par une clameur sourde aux accents espagnols déchirée d'éclats de voix que je ne comprends pas, et qui me font sursauter. Dans ce brouhaha enivrant, je m'accroche à un point fixe : la douce Mme Fredes me conduit jusqu'à sa maison, située à 750 mètres de la frontière. J'ai l'esprit embrumé par le choc que provoque en moi le contraste brutal entre deux cultures. Passé le Rio Grande, j'entre littéralement dans un autre monde. La langue, les visages, jusqu'à l'air que je respire... Tout est neuf, transformé. Je ne sais plus comment m'orienter, et manque à plusieurs reprises de renverser l'un de ces innombrables comptoirs ambulants dont les étalages vacillent sur des charrettes de bois montées sur roues de voiture, poussées par des marchands.

Je reprends mes esprits entre les arcades de la ravissante cour intérieure de la maison de Mme Fredes, un modèle du style colonial. Il y règne un calme raffiné qui contraste avec la cohue de la rue. Mon hôtesse ponctue ses gestes de bienvenue de quelques mots espagnols que je m'efforce de retenir. Un peu plus tard, sa sœur arrive les bras chargés de livres illustrés pour enfants, et je comprends qu'on m'accorde de rester le temps qu'il faudra pour me sentir à l'aise dans ce nouvel environnement.

Pendant douze jours, je me love dans le cocon de Mme Fredes, me reposant l'après-midi de l'étude de la langue en de longues flâneries à travers les ruelles. Souvent mon hôtesse me prend en charge, et je me laisse porter comme un enfant à travers les kiosques du marché, m'imprégnant de saveurs nouvelles. Je songe parfois aux étranges commentaires sur la dangerosité de la ville dont on m'avait abreuvé de l'autre côté de la frontière. Dangereuse, Matamoros ? À mesure que mon pouls se met à son diapason, je m'y sens pourtant de mieux en mieux. Même l'extrême pauvreté que je rencontre parfois me paraît romantique, et je glisse doucement dans cette mélasse sentimentale qui menace nombre de voyageurs naïfs : je me crois amoureux. Du pays, de la langue, des habitants, et même de Mme Fredes, si douce et dévouée, dont les délicates attentions me rendent la vie si facile. Au long des premiers mois de mon voyage, j'avais eu du mal à m'habituer, je dois l'avouer, à l'éloignement physique de Luce. Il m'était arrivé de tomber amoureux de femmes charmantes rencontrées sur la route. Mais ces fantasmes s'envolaient en quelques heures, une fois apaisé l'irrésistible besoin de contact humain qui me saisissait après des jours entiers de solitude absolue. J'avais besoin de parler, de discuter encore… Étais-je réellement attiré par ces femmes, ou tout simplement par la vie que je menais ? À Matamoros pourtant, le romantisme me submerge, et une autre femme que Mme Fredes m'aurait peut-être laissé – j'y songe maintenant avec effroi – m'engluer dans cette fausse idylle. Troublé, confus, ne pouvant contenir ce flot d'émotions qui m'envahissait, je décide d'ouvrir mon cœur à Mme Fredes. « Je t'aime. » Sa réponse nette et immédiate, lancée d'un ton glacial, me fait l'effet d'une gifle en plein visage : « Tu n'as pas une femme quelque part ? »

Je baisse la tête. Évidemment, j'en ai une. Luce que j'aime, qui m'aime en dépit de tout, et qui a su m'offrir bien plus que son amour : la liberté. Ma passion s'envola à l'instant où la honte s'abattit sur moi. Luce. Je devais me concentrer sur cet amour si rare, à partir de ce jour, et pour le reste de ma marche.

Au matin du 7 mars, je décide que j'ai assez profité de l'accueil de Mme Fredes et qu'il est enfin temps de reprendre la route. La veille, j'ai senti poindre un sentiment qui me deviendra familier au fil des années : un courant de stress contenu circule le long de mes jambes ; mon cœur bat à un rythme sourd, à la fois lourd et économe. Chacun de mes sens semble en alerte, comme si je rejoignais un état primitif, proche de l'« état sauvage »... Mon instinct me commande de partir.

Je vais marcher l'Amérique du Sud.

À bien y réfléchir, j'ai un peu la trouille...

Après quelques jours de marche sous un soleil de plomb, j'arrive au village de Soto la Marina, épuisé. Je viens de traverser une zone désertique, longue succession de ranches dont certains s'étendent sur plus de dix mille acres. Pas âme qui vive. Pour la première fois j'ai eu faim, mais surtout je n'avais pas prévu assez d'eau. Je dois impérativement veiller à ne pas surestimer mes réserves. En me dirigeant vers le poste de police où j'espère qu'on m'invitera à passer la nuit, je m'arrête devant une *taqueria* bricolée de tôles bringuebalantes dans laquelle une jeune femme, Maria, confectionne les meilleurs tacos que j'aie jamais goûtés. Elle m'invite gentiment à installer ma tente derrière sa petite échoppe, « c'est bien tranquille », m'assure-t-elle en tranchant ses oignons. Brave Maria... Je lui dois mon premier baptême des nuits mexicaines, aussi bruyantes qu'un jour de marché ! À peine suis-je allongé sous ma tente qu'un premier jappement résonne, jaillissant d'une carcasse d'auto. Aussitôt des dizaines d'aboiements lui répondent. Ça hurle, ça glapit dans un concert infernal. Percevant autour de moi des grattements suspects, je sors de ma tente le temps d'apercevoir un chien s'enfuir avec mon pain, un autre avec mon fromage. C'est alors que les coqs se mettent à chanter, juste à côté de moi, comme pour féliciter les chiens de leur bon coup. Je passe le reste de la nuit à jurer en interpellant un cochon accroché à une laisse, bête farouche et dure qui semble m'encourager de ses grognements furieux. Au petit matin, j'affiche une mine aussi renfrognée que mon copain le pourceau. Maria arrive, pimpante: «C'était bien tranquille, hein? – Oui», grogné-je d'un ton de lourde ironie. Et elle, toute satisfaite: «Je te l'avais dit!»

Les jours suivants, j'apprends à m'accommoder de ce tintamarre incessant, mais mes efforts pour tenter de retrouver la forme de paix de l'âme que j'avais cru atteindre aux États-Unis restent vains. Pour la première fois, je me heurte à la réalité de sentiments ou de situations que je pensais connaître et dont je ne savais rien. La pauvreté, la corruption... Mais aussi la joie, le courage ou l'espoir. Comme si chacun des miroirs qui composent nos existences réfléchissait ici plus intensément la lumière du soleil. Au bord de la route, des habitants s'affairent sur les voies de service en terre battue. Ils lancent des regards en biais sur le *gringo* au teint pâle qui marche bizarrement en poussant un chariot, et je me sens nerveux, leur lance des signes de la main, alors ils me répondent et le malaise s'envole. Je traverse la *tierra de las naranjas* à la saison des agrumes, au milieu de champs d'orangers. Les gens me donnent des oranges, j'en ai plein mon carrosse et me délecte de leur jus. La terre donne ses offrandes: papayes, mangues, cocos... ça passe à pleins camions. Un jour d'avril, dans la région de Cerro Dulce, un poste de police apparaît sur la route juste derrière les kiosques à fruits. Je devine un type en uniforme couché dans les broussailles, une corde à la main. Je comprends que celle-ci actionne une sorte de barrière métallique presque indétectable aux yeux d'un conducteur, capable de crever les pneus de sa voiture à la première traction. Le trafic de drogue est intense dans la région, et les camions de bananes dissimulent parfois d'autres marchandises... Au contrôle, un policier m'interpelle, et après une brève discussion, il exhibe de sa poche une enveloppe débordant de marijuana. « T'en veux ? » Il m'en propose un bon prix, dit-il. Je suis abasourdi. « Tu portes un insigne, un fusil, et tu vends de la drogue ? – Oui », répond-il simplement, avec un bon sourire innocent. Le soir venu, l'hôte auquel je rapporte l'anecdote hoche la tête d'un air triste : « Les policiers du coin gagnent à peine cinq dollars par jour. Alors ils trafiquent... »

J'ai rencontré Miguel dans un café, en cherchant un endroit où passer la nuit. Il avait déjà bu quelques bières, Miguel, et aurait bien continué avec un peu de compagnie. Il m'offre de m'accueillir chez lui. Après une halte au magasin pour acheter de l'alcool, nous arrivons devant sa petite maison où une jeune femme nous accueille avec un regard furieux. En jetant un œil dans la cuisine où jouent trois jeunes enfants, je comprends qu'il n'y a rien pour le repas. Miguel a sans doute oublié... Je donne à son épouse le reste de mon pain et du beurre d'arachide, et me mets à jouer au cheval avec les enfants pendant qu'elle improvise trois petites tortillas. Assis devant la maison, Miguel boit. Le lendemain matin, en embrassant le plus grand qui s'en va à l'école, je ressens comme un pincement. Son père est en train de s'ouvrir une bière ; je le remercie, et je pars. Bientôt, ces enfants iront travailler pour rapporter de l'argent à maman, la malheureuse, et à papa qui boit. En prenant la route de Palenque, au pied des montagnes du Chiapas, je songe à cet enfant croisé il y a quelques jours sur le bord du chemin, et dont le regard me hante. Son père buvait-il, lui aussi ? J'ai aperçu sa frêle silhouette vacillant sur la route dans le soleil de midi. Le torse et les pieds nus, vêtu d'un pantalon beige trop grand qui s'enroulait sur lui à la manière d'un pagne, il poussait une énorme brouette chargée de foin, démesurée pour sa taille. Je m'approche, lui offre de l'eau. Il s'accote, crache par terre et attrape ma bouteille sans sourire. Il s'appelle José Luis, il a neuf ans. La sueur dégouline de ses cheveux sombres sur sa peau pâle d'enfant, mais ses yeux noirs, profonds, me transpercent. J'essaie de le retenir; il répond à mes questions en quelques mots secs, impassible. Le foin? Il l'a coupé dans le fossé, à la machette. C'est pour nourrir la bourrique. La parcelle de sa famille est distante de trois kilomètres qu'il parcourt tous les jours en poussant sa brouette. D'ailleurs il doit y aller, il lui reste du travail. J'examine ses pieds nus sur l'asphalte brûlant. Dans son regard vieilli, le long de son visage grave, je lis une révolte qui monte, et soudain je mesure toute mon impuissance. Je lui raconte que je viens de loin, d'un pays très froid que j'ai quitté pour parcourir le monde. Je raconte que je m'en vais en Afrique, en Europe et plus loin encore, qu'ensuite je reviendrai, et je parle en souriant très fort, tendrement, m'efforçant de lui transmettre en ces quelques secondes l'assurance que tout est possible, qu'il suffit de le vouloir et de garder espoir. Mais José Luis reste là, les yeux vides d'expression, muré dans un silence accablant. Puis je lui montre mes cartes, mon carnet, quelques photos du monde, et je crois déceler dans son regard comme une étincelle, l'amorce d'un élan… L'ai-je rêvé? Une seule brève rencontre peut-elle renverser le cours d'une existence? En peinant sur la route en lacet qui monte vers Agua Azul, je caresse un instant cette idée. Je regarde l'asphalte se dérouler sous mes pieds, cela m'hypnotise, et je me laisse doucement glisser dans un état second; cette bande de pas derrière moi, tous ceux qui me restent à accomplir me font voir clairement mon voyage: je n'y suis pour rien. Je ne conduis pas ma destinée. De la même manière que le subconscient contrôle les rêves, ma marche est contrôlée par quelque chose de plus puissant que ma seule volonté: par les gens. Ce sont eux qui font vivre mes pas et leur donnent tout leur sens. Je vais me réveiller bientôt, très bientôt... Dans dix ou douze ans.

À moins que cette maudite route me force à renoncer! Constamment aux aguets, je progresse en louvoyant d'un bas-côté à l'autre, et quand deux véhicules se croisent à ma hauteur, je dois littéralement me jeter dans le fossé. Cela me rend agressif, et il m'arrive de répondre sèchement aux habitants des hameaux s'informant gentiment de ma présence. Les constantes mises en garde sur ma sécurité me rendent aussi nerveux. Des bandits sillonneraient la région, agressant et volant les voyageurs isolés. Plusieurs craignent que je sois enlevé pour le peu que je possède. Juste avant Agua Azul, en direction d'Ocosingo, je salue un homme qui marche de l'autre côté de la chaussée. Il me détaille un moment, examine ma poussette et souffle d'une voix tremblante: « N'allez pas par là, pas à pied. *Banditos!* Vous allez vous faire tuer. » Cédant à ces pressions, je monte finalement à bord d'une camionnette-taxi avec un certain soulagement. Je ne mourrai pas au Mexique. J'arrive à Ocosingo encore impressionné, et je file à l'église où je passe la nuit en sécurité.

La route qui conduit jusqu'à Comitan est tellement escarpée et sinueuse que j'ai l'impression de marcher sur des montagnes russes. J'avance à la vitesse folle de 1,5 kilomètre à l'heure, mon cœur bat à 140 pulsations la minute. La sueur ruisselle sur mon visage. Alentour, des conifères remplacent bientôt les palmiers et les fleurs paraissent plus petites. Dans l'air qui se rafraîchit imperceptiblement, j'entends le bruissement du vent dans les arbres, le chant rieur des cascades répondant à celui des oiseaux. Comment imaginer qu'on se batte dans ce paradis? Je ne ressens que la paix. Les vers d'un poème de Jaime Sabines, natif du Chiapas, me courent dans la tête: « Je ne veux pas la paix, il n'y a pas de paix. Je veux ma solitude. Je veux mon cœur à nu.» N'est-ce pas ce que nous voulons tous? M'écartant de la route principale, j'emprunte un petit chemin couvert d'épais gravier qui conduit à la communauté indigène El Vergelito où des femmes vêtues de robes finement brodées s'affairent par petits groupes. Elles refusent mon regard, mais les hommes répondent dignement à mon salut. Le chef m'autorise à passer la nuit dans leur salle communale. Le village est bordé de prés à l'herbe rase d'un vert lumineux, les champs piqués de conifères épars traversés par de minces cours d'eau. Les bêtes ne sont gardées par aucun enclos, et je soupe au bord de la route parmi les vaches, chevaux et cochons s'égayant en liberté. Comment ne pas rêver de préserver cette paix? Est-ce là le sens des combats qui déchirent la région?

Depuis de longues semaines, je rêve de rencontrer le sous-commandant Marcos, chef mythique du groupe des révolutionnaires armés zapatistes, dont la presse internationale a relayé la lutte pour défendre les indigènes et la justice sociale. Je décide de laisser Comitan pour rejoindre La Realidad, où se trouverait le cœur de son quartier général. Après sept heures de trajet sur une route cabossée et sinueuse, l'autobus s'arrête au fond d'une vallée, après une descente vertigineuse à flanc de montagne. Deux hommes armés contrôlent les passagers. «Est-ce bien ici que se trouve le camp du *señor* Marcos?» Ils me demandent une attestation d'entrée dans le village, qu'évidemment je ne possède pas. On me fait attendre pendant plusieurs heures, avant de m'orienter vers une salle communautaire où l'on m'autorise à passer la nuit sur un banc. Dans le crépuscule, je discute avec un jeune homme, criant presque pour couvrir le vacarme de la pluie tropicale. «Marcos n'est pas ici, me dit-il. Nous sommes éclatés dans cinq ou six camps, et le principal bureau est à San Cristobal de las Casas, à des centaines de kilomètres d'ici.» J'espère encore jusqu'au matin, mais personne ne semble se soucier de moi. « Il n'est pas là », me dit-on simplement, mais je doute que ce soit vrai. J'ai faim, froid, et je me sens un peu ridicule. Je reprends le bus jusqu'à Comitan. Trois jours plus tard, je franchis la frontière du Guatemala.

Le village de San Catarina Ixtahuacan se dresse dans une région montagneuse, venteuse et froide, au point que ses habitants le surnomment Alaska. Le mot « Canada » évoque pour les locaux la prison du coin : la légende raconte qu'on y gèle aussi parfaitement que dans la nuit québécoise. Je progresse péniblement sur la route escarpée, tremblant de terreur à chaque fois qu'un autobus me dépasse à une vitesse infernale, actionnant furieusement un klaxon aussi puissant qu'un avertisseur de train. Sur la carrosserie, ce message peint en lettres capitales : « Dieu me protège ! » Un matin, sortant de Ciudad Guatemala, un 4 × 4 lancé à un train d'enfer vient s'empaler dans une camionnette chargée d'ananas. Aussitôt, les passants se ruent sur les fruits dans une cohue invraisemblable. Ici des gardes armés accompagnent les chauffeurs de camions à remorque, et je songe que je dois veiller à me garder fort : lorsque le rapport de force est rompu, la nature reprend ses droits.

Un soir, au Salvador, je suis accueilli pour la nuit dans la famille d'un homme rencontré sur la route. Justo Menamedia, qui rapportait les fèves récoltées aux champs, est un homme de paix. Dans les années quatre-vingt, il a fui la guerre civile et s'est exilé clandestinement aux États-Unis. Il a travaillé une dizaine d'années à Los Angeles, dans un restaurant, puis il est revenu. Avec son épouse, ils ont dix enfants. Il est heureux, dit-il, car il possède un lopin de terre à 10 kilomètres de là, où il se rend à pied tous les jours cultiver fèves et maïs. Tandis que je le suis jusqu'à sa maison, les villageois lancent sur ma poussette des regards prédateurs. « La pauvreté pousse certains à la violence », s'excuse Justo tristement. « On ne t'a pas attaqué à cause de ta grande taille. Tu as eu de la chance. » Pour vivre en paix et protéger leurs maigres possessions, les familles se regroupent en clans soudés et puissants. Le jeune Julio Cesar, âgé de vingt-quatre ans, m'invite à m'asseoir devant la maison où sa mère prépare de succulents *pastels* qu'il m'offre avec une salade et un léger alcool de riz très rafraîchissant. Avec la sagesse d'un homme mûr, il me parle de son rêve d'aller travailler aux États-Unis. « Ici c'est très dur. Il faut travailler comme des forcenés pour gagner quelques dollars. Nous mangeons à notre faim mais il y a trop d'épreuves. Des guerres civiles, des ouragans, des tremblements de terre… Le dernier, en janvier, a fait plus de un million de sinistrés. Et quand l'aide internationale arrive, le gouvernement la vole. » Un silence s'installe… Je déroule une toile de plastique sur le sol de la maison de terre. J'y dépose un matelas gonflable, un oreiller, mon sac de couchage… Les yeux de Julio Cesar se mettent à briller, puis s'emplissent de tristesse. « Tu dois nous trouver très pauvres… » Sa remarque me bouleverse. S'il savait à quel point je le trouve riche, au contraire ! De valeurs, de sécurité. Dans cette famille débordante d'amour, ça sent le bonheur à plein nez. Julio Cesar m'explique comment barricader la porte et me laisse dans le noir. Il passera la nuit à veiller dans la cour avec sa carabine, pour protéger les pièces de tracteur, et me protéger moi.

Souvent, au long de ces mois, je pense à mon fils. Thomas-Éric avait tout juste vingt ans lorsque je suis parti. Quel contraste entre ces vies ! Je m'impose un rythme de marche plus soutenu que je ne le voudrais, car nous sommes convenus de nous retrouver au Costa Rica le 17 août prochain pour célébrer ensemble mon anniversaire, et ma première année de marche. Je suis accueilli avec tant de chaleur dans cette Amérique centrale bouillonnante que mes départs précipités, après une soirée de confidences autour du four à bois, sont autant de déchirements. Mais je n'ai maintenant plus qu'une idée en tête, celle de serrer mon fils dans mes bras. Le seul fait d'y penser me met le cœur en liesse, et je ne cesse de recalculer mon trajet sur la carte. Depuis San Miguel, au Salvador, je lui envoie ce bref message : « Dans ce coin de l'Amérique centrale, j'expérimente le "sport extrême" ! Il y a le côté dangereux : attaques, vols, etc., mais aussi l'autre facette : la gentillesse et la bonté des gens. Heureusement, il ne m'est arrivé aucun malheur ! J'ai une hâte folle ! » Je traverse dans un rêve le Honduras et le Nicaragua, m'arrêtant à peine pour manger, et au soir du 14 août, j'aperçois enfin une borne routière indiquant six kilomètres avant Esparza. Je suis faible, épuisé. Des pompiers m'accueillent chaleureusement et examinent mon corps amaigri. Et moi, comme un fou, je pleure, je ris... Après avoir marché deux mois à travers quatre pays d'Amérique centrale, je suis enfin arrivé. J'ai rendez-vous avec mon fils ! Avec la dixième paire de chaussures qu'il doit m'apporter, avec mon premier bilan, ces 8000 kilomètres parcourus, avec ces sept pays. Je vais les partager avec lui. Je sanglote comme un enfant dans le poste des pompiers. J'ai rendez-vous avec mon fils ! À treize heures trente le 17 août, Thomas-Éric franchit les portes de l'aéroport de San José et je m'agrippe à lui en une longue étreinte. Nous passons la nuit à parler. Il y a tant de choses à se dire ! Je pleure à nouveau en découvrant les photos de ma première petite-fille, Laury, née il y a tout juste six mois, en janvier... Surtout, je me sens soulagé. Mon fils va bien. Il a un travail, un logement confortable, et des projets d'avenir. Un soir, sur la plage, il me confie son rêve de reprendre ses études et de voyager. En Allemagne, peut-être, où il envisage de faire une maîtrise... « Nous nous y verrons peut-être dans six ans ? » Cette idée nous fait rire. Et pourtant... Le 28 août, Thomas-Éric prend l'autobus pour l'aéroport et je m'en retourne à pied vers San Mateo, le cœur déchiré.

Je marche en direction de Quepos dans une féerie de vols de papillons, leurs milliers d'ailes dorées se reflétant dans l'air pur. De lourds nuages annoncent une chaude pluie tropicale. À l'approche de la ville, de petites lumières scintillent à travers les feuillages d'où s'élève une douce musique orientale entrecoupée de murmures de conversations. Tout est calme. Je suis accueilli pour souper par une petite communauté francophone, et nous passons la soirée à nous raconter nos rêves. Le lendemain matin, je rejoins une dernière fois mes amis au café avant de prendre la route. Je remarque aussitôt une atmosphère étrange… Dans un silence anormal, les clients ont tous le regard braqué sur un petit poste de télévision. Les visages expriment la consternation. Nous sommes le 11 septembre 2001, et jusque dans la jungle, le monde a basculé.

Je reprends la route comme foudroyé, le cœur en peine pour tous ces disparus. Un nouveau cycle de violences s'est ouvert, et je me sens accablé à la pensée qu'après la barbarie viendront les représailles. Ces terribles manifestations de terrorisme donnent-elles un sens à ma marche, ou la rendent-elles au contraire totalement utopique, illusoire? Dans l'après-midi, trois hélicoptères de l'armée américaine survolent la côte en direction du sud. Je présume qu'ils se rendent au Panamá pour protéger le canal.

AUX PORTES DU MONDE

2 novembre 2001 – 10 mai 2002

→ COLOMBIE → ÉQUATEUR → PÉROU →

« Fais-moi un bébé, *gringo* ! »

Campée devant la porte de la petite église où je viens de passer la nuit, une jeune femme à la peau sombre me fait signe de la main en coulant sur moi des regards langoureux. « Allez, viens par ici. » Je refuse poliment en tentant maladroitement de rassembler mes affaires, mais la voilà qui approche et se fait insistante : « Mais viens donc, dit-elle en désignant sa maison, il y en a pour une minute, je veux un bébé avec tes yeux. » Je lance un regard paniqué au petit groupe de maçons qui ont subitement cessé d'empiler des briques de l'autre côté de la route pour observer la scène. Ils s'esclaffent : « Fais plaisir à la dame ! Elle veut un peu de poussière ! » (Expression locale faisant allusion à l'éruption d'un volcan.) Je prends la fuite sous les éclats de rire. Depuis plusieurs semaines, je suis la cible d'avances incessantes, comme si mon look d'Occidental loufoque exerçait sur les femmes du cru un attrait irrésistible. Et s'il n'y avait que les femmes… La veille, un homme d'âge mûr a tenté de m'attirer sous les bananiers ! Je marche dans la plaine équatorienne qui borde l'océan Pacifique, le long de la Panaméricaine. Le paysage est tropical, et des maisons de bambou montées sur pilotis s'élèvent de loin en loin quelques râles d'amour. Plus haut dans les montagnes, les Andins m'avaient averti du tempérament parfois extraverti des peuples de la plaine, accablés de pauvreté et pourtant si vivants, avides d'expériences nouvelles. La façon dont je m'accommode de mon célibat forcé les intrigue au plus haut point, et les conversations dérivent presque invariablement vers leurs propres pratiques sexuelles. Autour du feu, les voix s'animent, et tous, de l'adolescent à la grand-mère, me content par le menu leurs expériences intimes, hétéros ou homosexuelles. Les femmes s'offrent à moi avec une candeur déconcertante, et mes refus catégoriques les blessent comme si je méprisais la plus humble des offrandes… Je souris en moi-même de mes inhibitions.

Mon passage en Amérique du Sud m'a plongé, une fois de plus, dans un autre monde. Mes tentatives pour traverser à pied le bouchon de Darién, puis la Colombie, ont toutes échoué. Après avoir attendu dix jours dans le port de Colón, au Panamá, qu'un capitaine de navire accepte de m'embarquer jusqu'à Cartagena dans cette mer des Caraïbes infestée de pirates, j'ai dû me résigner à prendre un avion jusqu'à Cali, en Colombie. Mais là encore, mon intention de rejoindre à pied l'Équateur a fait trembler d'angoisse les autorités diplomatiques. « AUCUN VOYAGE TERRESTRE », a martelé le consul canadien, peu enthousiaste à l'idée d'organiser un raid en hélicoptère pour tenter de récupérer le fêlé à poussette kidnappé dans la jungle par un groupe de rebelles. J'ai donc repris l'avion jusqu'à Ipiales, au bord de la frontière, et foulé la terre colombienne sur la distance politiquement acceptable de huit kilomètres.

Le continent qui s'ouvre à moi m'est encore inconnu, pourtant je ressens son immensité. Elle m'apparaît brusquement un matin, écrasante et grandiose, alors que je sors d'un tunnel qui perce la montagne sur la route Panaméricaine. La route serpente entre des monts aux formes rondes, lissés par le vent et le sable au fil des millénaires, et semble parfois caresser la mer du haut d'une falaise. Au loin, des centaines de dunes se fondent dans un écran de mer. Je m'assieds sur une pierre plate, pensant que j'ai l'air fou avec mon sombrero panaméen posé sur un visage ravagé de fatigue et rongé par une barbe de quatre jours. J'imagine Luce assise à côté de moi, nous contemplons ensemble cette somptuosité, et c'est doux. J'entre en communion avec l'environnement, la faim et l'épuisement me plongeant dans une sorte de transe. Soudain une sensation que je ne peux retenir éclate au fond de ma gorge, et je pleure. À chaudes larmes, comme un enfant. Je pleure de la beauté, de la grandeur et de la douceur du monde. J'ai encore l'air plus fou, mais Dieu que c'est beau! Les Andes et le désert sont à mes pieds. Je vais marcher ces deux mondes.

SUR LE DOS DU DRAGON

14 mai 2002 – 31 juillet 2002

→ PÉROU → BOLIVIE → CHILI →

Le 14 mai 2002, en sortant de la ville de Nazca, j'aligne ma poussette en direction de l'est sur le chemin de Cuzco, l'ancienne capitale des Incas, « le cœur du monde ». À quelques kilomètres de là, une civilisation plus ancienne a tracé dans le sol aride d'étranges et gigantesques figures géométriques – spirales, animaux, lignes fuyant vers l'horizon –, sur lesquelles les chercheurs s'interrogent encore aujourd'hui. À qui s'adressaient ces messages ? À d'autres hommes, aux dieux, à eux-mêmes ? Le mystère qui sourd de cette terre me fascine. Je vais marcher 1700 kilomètres sur le dos du dragon. J'irai à mon rythme, pas après pas. Je ne défierai pas ces montagnes : le dragon va me laisser ses rênes. Je me sens prêt.

Je ne trouverai aucun ravitaillement jusqu'au prochain village, distant de 43 kilomètres. Je dors à la belle étoile, observant ces constellations que je ne connais pas. Le chemin escarpé me met à l'épreuve. Ma progression est lente, je suis presque en transe. Derrière moi la plaine de Nazca disparaît dans la brume, et je monte, je monte encore, le souffle raccourci et ruisselant de sueur, jusqu'au village de Cruce Galera Repartición, perché sur les hauteurs, à 4000 mètres d'altitude. Un vent froid transperce ma veste légère, et je me réfugie dans une cabane, modeste restaurant-bar – en réalité une pièce au sol de terre battue sur lequel on a dressé un petit comptoir de tôle, flanqué de deux tables en bois. À peine assis, je suis pris de violents tremblements et m'enveloppe dans mon sac de couchage. La propriétaire s'approche, drapée dans un chaud lainage de lama qu'elle porte comme un poncho. Elle me parle, mais je ne peux lui répondre car j'ai les dents qui claquent. Elle s'appelle Anna et je fais une crise d'hypothermie, m'explique-t-elle en traînant l'une des tables à l'autre bout de la pièce. Rapidement, elle étale sur le sol plusieurs peaux de mouton et m'y couche d'autorité avant de me préparer un maté (une tisane) de coca. J'ai envie de vomir, et touche à peine au chaud repas qu'elle m'offre avec gentillesse. Je m'endors comme une souche, aux pieds d'un groupe de gardes-chasse soûls décidés à fêter leur paie en beuglant des chansons quechuas.

Je me réveille souffrant d'une migraine lancinante, tourmenté par une diarrhée tenace. Anna me force à avaler une assiette de riz, que je grignote en maudissant le dragon qui se rit de moi. Je reprends la route dans un état comateux, descendant doucement jusqu'à la réserve nationale de Pampa Galera, dont la mission est de protéger les vigognes des massacres. Les braconniers vendent à prix d'or la fine fourrure dorsale de cette cousine du chameau pour tisser une laine, la plus chère au monde, qui fait fureur dans les cercles privilégiés parmi les gens de bon goût. Je souris en pensant au destin de ces frêles camélidés broutant placidement l'herbe sèche des hauts plateaux, dont le poil délicat caressera bientôt la poitrine d'une épouse de banquier genevois. Dans la vallée, le soleil illumine toute une variété de fleurs indigènes. Une vie colorée anime la rue principale des villages, une poignée de maisons disséminées entre les roches sèches. Les cuisines occupent des bâtiments distincts, où les femmes s'affairent sur le sol dans une panoplie de chaudrons amassés autour d'un feu de bois. Une fumée sombre s'échappe des bords du toit, s'élevant en volutes à travers les tuiles d'argile ou les rouleaux de paille. On entend le chant des oiseaux. En bas du chemin, une dame tire la vache ; une autre m'interpelle en quechua, une langue inca que je ne comprends pas. Elle porte un petit chapeau qui me rappelle ma grand-mère, et tend à une fillette aux pommettes écarlates une tasse d'un liquide blanc et crémeux semblable à du riz au lait. Ces scènes d'intimité me plongent dans une douce nostalgie. J'ai envie de m'arrêter là, de vivre parmi ces gens chaleureux et paisibles. Partout la vie s'écoule avec la même tendresse, la même force tranquille; au cœur de ces montagnes géantes, plongeant mon regard dans les yeux en amande de cette fillette des Andes, je me sens en communion avec l'univers.

Sauf que… si mon esprit s'envole, mon corps, lui, refuse obstinément de s'adapter à la haute altitude. Je ressens de terribles brûlures d'estomac, et la diarrhée recommence.

Des employés du ministère des Transports me recueillent à Puquio, épuisé et malade. Je passe deux journées entières à gémir, allongé sur une couchette. Lorsque je reprends vie, l'un de mes anges gardiens m'emmène au restaurant où Laura et Salomon, les propriétaires, me préparent un festin ainsi que plusieurs plats que je glisse dans ma poussette. Laura me couvre d'attentions, visiblement inquiète. Je n'ai parcouru que 140 kilomètres depuis Nazca, sans affronter encore ni le vent ni la pluie. S'asseyant en face de moi, elle me prend par l'épaule pour me chuchoter son secret d'un air grave: autrefois les Chaskis, les célèbres messagers incas chargés de délivrer présents et informations à travers l'empire, mâchaient des feuilles de coca pour résister à l'altitude, à la faim et au froid. On raconte que grâce à eux, l'Inca dans sa cité pouvait se délecter chaque jour de poisson frais venu du Pacifique… «Toi aussi, tu es un Chaski, dit-elle. Tu portes un message de paix. Prends ça.» Elle glisse au creux de ma main un sachet de ces précieuses feuilles vertes, expliquant: «Quand ça deviendra trop difficile, n'hésite pas. Prends une dizaine de feuilles et bourres-en ta joue. Fais-en sortir le jus, mais surtout ne l'avale pas! Tu recraches.» Le regard sombre, elle poursuit : « Plus loin il y a des dizaines de kilomètres de montée, sans rien autour. » Je la rassure en prenant le petit sac.

Quelques heures plus tard, je peine dans une côte affolante, luttant contre un méchant crachin qui transperce ma peau, poussé par des rafales de vent. J'attrape quelques feuilles de coca que je mâche précautionneusement. L'effet est immédiat ! Je poursuis mon ascension à un rythme soutenu jusqu'à une petite plateforme où je décide de m'installer pour la nuit. La température oscille autour du point de congélation, mais je me ris du froid ! Je me couche en sifflotant, tout guilleret, et me réveille au matin enroulé dans la tente arrachée par le vent, contre ma poussette renversée. J'ai à peine le temps de rassembler mes affaires avant que les vents redoublent d'intensité.

En traversant la pampa de l'Orconcocha, entre lacs et pics enneigés, je décide de ne plus utiliser de coca. Pas que je craigne vraiment de m'accoutumer aux effets grisants de cette plante miraculeuse, car ils restent légers… Mais à quoi bon quitter une vie pour se perdre à nouveau dans un monde de chimères ? Je préfère rester totalement lucide. C'est la première condition de la liberté.

Je marche une vingtaine de jours sur cette mer de montagnes, alternant montées et descentes de 1000 à 1500 mètres de dénivelé. Parfois j'ai l'impression que cette route en lacet est une spirale sans fin tracée par quelque dieu inca pour protéger l'accès au cœur de son royaume. Je traverse de rares villages, où quantité de peaux et de viande d'alpaga sèchent au soleil. À Negro Mayo, le chef Cipriano me présente deux hommes, des voyageurs comme moi, descendants d'une tradition millénaire. Ces *arrieros* conduisent leur caravane de lamas sur les sentiers antiques entre mer et montagnes, troquant les marchandises de village en village. Ensemble nous dégustons un repas d'alpaga. Souvent, admirant la beauté fragile des terrasses de cultures, je ressens un bonheur profond :

je suis exactement où j'avais rêvé d'être, un espace hors du temps, loin de la folie du monde.

Le 8 juin, épuisé, j'arrive au pied des montagnes entourant le Machu Picchu dans le village de Limatambo, étonnante communauté de paysans andins fonctionnant selon un modèle démocratique unique au monde. Pour ravir le pouvoir aux grands propriétaires terriens, ils se sont fédérés pour construire une réelle démocratie participative : le conseil municipal rassemble une trentaine de représentants des communautés de la région, et chaque décision est prise en partenariat avec la population. « Avec ce système, m'explique le maire, l'argent des paysans revient vraiment aux paysans, car nous le gérons mieux. » Wilbert Roza B. m'offre de rester aussi longtemps que je le voudrai, et me détaille fièrement ses réalisations. Dans le petit restaurant où l'on me sert une tisane d'anis, je rencontre Julio, employé municipal. Étalant ma carte sur la table, je m'informe de l'état du sentier que je compte emprunter pour rejoindre le sanctuaire inca en évitant les corridors touristiques. « Tu peux passer à droite du mont Nevado Salkantay, mais tu ne pourras pas utiliser ta poussette, dit-il. Il te faut des mules. Je connais quelqu'un. » Le lendemain matin, il revient avec Apollinario, natif de la région disposé à me servir de guide. Apollinario ne parle que le quechua, mais à grand renfort de gestes nous parvenons à nous entendre sur un prix. Le matin du départ, à peine remis de mon épuisement et les entrailles toujours dérangées, nous entassons mes affaires sur deux mules et nous nous engageons sur le sentier. Après trois heures de progression à pic, nous descendons l'autre versant jusqu'à Pampaccahua, une minuscule communauté formée de quelques maisons de pierre au mortier de terre crue. Mon guide passe la nuit à boire avec l'un de ses amis pendant que j'explore les latrines et nous reprenons la route de méchante humeur après avoir perdu deux heures à courir dans la montagne après les mules qui s'étaient échappées. Nous longeons la rivière Huayrurumayo jusqu'à Wayllabamba, à l'intersection du célèbre chemin de l'Inca qui conduit au Machu Picchu. Le paysage est à couper le souffle, mais je le vois à peine tellement je suis choqué par la scène que je découvre. L'étroit chemin de terre est encombré de touristes marchant à la file indienne, entourés de porteurs locaux ployant sous les bagages. Ça souffle, ça s'exclame, ça mitraille le paysage de photos souvenirs, clic, clac, clic, clac, ça commente dans toutes les langues, et autour les porteurs trottent, esclaves modernes, se dépêchant pour apprêter les tentes avant l'arrivée des clients. Je ne m'attendais pas à ce que mon ancienne vie déboule sur mon passage au détour d'un chemin dans les Andes péruviennes. Subitement je me sens mal, mon cœur bat la chamade, j'ai envie de m'enfuir !

Trente kilomètres de marche nous séparent encore du sanctuaire. Le chemin est barré par un poste de contrôle, coiffé d'une grosse enseigne : « Chemin inca vers Machu Picchu », ne manque que le « inc. » ! Le préposé exige un ticket. Je n'en ai pas. Le préposé précise qu'il n'en vend pas : il faut l'acheter à Cuzco à un opérateur touristique. J'explique au préposé que j'arrive des montagnes, que je viens de parcourir 12 000 kilomètres depuis le Canada et que j'aimerais bien marcher jusqu'au Machu Picchu, je vous prie. Le préposé tranche : « Il vous faut un porteur et vous devez payer. Partez. »

Je m'en retourne en grommelant, maudissant ce monde moderne qui met les hommes en cage et piétine le sacré. Nous descendons la montagne en jouant des coudes, nous frayant un chemin à travers le flot de touristes grimpant en sens inverse. À la fin de la journée, dans la vallée sacrée de l'Urubamba, nous déchargeons les mules et je réarme mon chariot. Je prends la direction de Cuzco la tête basse. Dans les villages que je traverse, il me semble que l'ambiance a changé. Plusieurs jeunes m'interpellent: *« Hey! What's your name? Give me money! »*... Je leur réponds de façon cordiale, en espagnol, et ils me laissent tranquille. Un soir pourtant, marchant entre des champs de quinoa que les paysans récoltent à la faucille, j'entends derrière moi une voix d'enfant. *« Señor, Señor, hola, por favor! »* Je me retourne: un garçon court en se dandinant, il ouvre ses mains jointes avec un large sourire et m'offre quatre petites pommes de terre toutes chaudes encore couvertes de cendre. Ses parents ont dû m'apercevoir du champ... Leur sollicitude me touche au-delà des mots.

Après une halte à Ollantaytambo, où des pompiers ivres et d'excellente humeur me reçoivent pour la nuit dans un déluge d'assurances de fraternité, j'arrive enfin à Cuzco, le centre du monde! Des oriflammes aux couleurs de l'arc-en-ciel décorent les rues. On célèbre l'Inti Raymi, la fête du père Soleil, et je passe la nuit à chanter au son des tambours et des zamponias, ces douces flûtes de Pan dont le timbre chuchotant rappelle l'air des montagnes, la laine des alpagas et la chaleur des gens.

Aux pompiers qui m'hébergent, je raconte ma déception d'avoir été refoulé au Machu Picchu. Un jeune volontaire décide de m'y emmener par le train des guides, interdit aux étrangers. Le lendemain matin, Christian arrive vêtu de sa tenue de travail, affublé d'un baudrier et de bandes phosphorescentes. Il me tend une veste rouge, un insigne de pompier et une lettre de son chef. « À partir de maintenant, dit-il, tu es le commandant Jean Béliveau, chef des pompiers de Montréal. Tu prends un air sérieux et tu dis au préposé du train que nous allons rencontrer le chef des pompiers d'Aguas Calientes dont tu as oublié le nom. C'est clair? » Quelques heures plus tard, nous nous prenons en photo sur le site sacré, émerveillés comme des enfants de notre propre audace.

Nous passons la journée en pitreries, sautant sur les cailloux et nous éclaboussant dans un bain d'eaux thermales. Le soir venu, nous faisons la fête dans le train du retour avec les porteurs qui s'amusent à noter les touristes qu'ils ont accompagnés au cours de la journée – les femmes, surtout. Plus ils racontent d'horreurs et plus nous sommes hilares. Je suis vengé !

Je reprends la route le cœur léger en direction de l'Altiplano, cette plaine immense balayée par les vents, accrochée à 4000 mètres d'altitude à la lisière de quatre pays. Je marche seul, croisant de loin en loin quelques autocars chargés de touristes poursuivant leur périple jusqu'au lac Titicaca. Dans les villages règne une intense activité : la récolte de quinoa, cette « mère de tous les grains » que les Incas cultivent depuis cinq mille ans, vient à peine de s'achever. Dans les champs, les hommes battent les tiges avec la *huacctana* pour séparer les grains, une femme m'offre une lampée de leur alcool local… Je l'embrasse sur la joue et la fais sursauter. Nous rions, partageons, c'est une période de joie.

Dans l'horizontalité sans fin de ces paysages, il se produit en moi une transformation étrange, comme si les carcans qui m'enserrent se relâchaient, une sorte de dilatation générale ; je laisse libre cours à mes instincts. Un jour, un chien se précipite sur mes pas et me mord en arrière. Aussitôt je lâche ma poussette et me lance à sa poursuite en hurlant, enragé. Il jappe et montre les dents ; je l'affronte. Alors que je lui saute dessus, il parvient à s'enfuir à l'arrière d'une maison. La raison me rattrape sur le seuil. Je repars étonné de moi-même, honteux à l'idée que quelqu'un, depuis l'habitation, ait pu m'observer. Mes pensées divaguent en fantaisies variées. Combien de temps me faudrait-il pour marcher jusqu'à la Lune ? Je rassemble mes connaissances et calcule des heures durant, selon différents paramètres…

J'atteins les rives du lac Titicaca au soir du 4 juillet. Sur le parvis de l'hôtel de ville, une poignée de musiciens jouent de la zamponia, contrant le froid avec quelques pas de danse et un petit coup d'alcool d'anis. Je danse avec eux un instant, songeant une fois de plus que je serais heureux de vivre ici. Sur la route parfois, j'échafaude les plans de la maison que je bâtirais quelque part, au Panamá peut-être, ou au nord du Pérou, dans une zone désertique. Il n'y a pas de terre à acheter là-bas, la terre appartient à Dieu. Il me suffirait de vivre dessus, avec la bénédiction des voisins et du chef de l'endroit. Je bâtirais un plancher de béton, et pour les murs, je mêlerais de la boue, des copeaux de sciure et des écailles de riz. Je souderais les blocs de mortier et recouvrirais le tout de chaux blanche sous un toit de tuiles d'argile. À l'intérieur, des paravents de bambou et de roseaux tressés diviseraient les pièces, et par pur esthétisme, je recouvrirais le sol de belles tuiles espagnoles. J'aurais une galerie pour m'asseoir, et peut-être un hamac pour me reposer à la saison des pluies. Il me faudrait une salle de bains qui fonctionnerait à l'aide d'un baril surélevé, et un ordinateur à piles solaires relié à Internet. Je transporterais l'eau chaque jour avec mon bourricot bougonneux, m'efforçant de ne pas me compliquer la vie avec ma caboche de *gringo* impatient, et stupide !

Mes pensées s'envolent dans le ciel limpide de l'hiver austral. Le 10 juillet, alors que je longe la rive du lac Titicaca, la neige se met à tomber. Des enfants jouent au soccer dans cette blancheur immaculée, pieds nus dans leurs sandales de vieux pneus. Je reçois ces flocons, très rares dans la région, comme un adieu personnel du Pérou au marcheur qui a sillonné ses terres pendant presque six mois.

Parvenu à La Paz, capitale de la Bolivie – la plus haute au monde ! –, j'achète une paire de gants. Je vais bientôt atteindre, au Chili, le point le plus élevé de ma route : le poste-frontière de Tambo Quemado, à 4660 mètres d'altitude. Depuis La Paz, la route commence à monter, l'air se raréfie et devient plus sec. Le soleil resplendissant semble me transpercer, j'ai l'étrange impression de caresser l'espace. Si je tendais la main, je pourrais presque le toucher… Les nuits deviennent glaciales, faisant geler l'eau dans les barils. Au matin du 23 juillet, je dois casser de la glace pour me laver le visage. Au loin se dresse, majestueux, le volcan Sajama et ses neiges éternelles, vers lequel je dirige mes pas. J'éprouve un sentiment de fin du monde. Derrière moi, l'horizon avale un ciel pourpre dans un bleu nuit profond; il n'y a rien que la mort. Mais devant, la vie s'ouvre dans une explosion de jaunes, d'oranges, de rouges… La lune est ronde, parfaite. Je marche. Le 27 juillet, des vents terribles m'assaillent. Il fait - 20°, mes doigts gèlent sous les gants. La route monte et monte et monte, la seule chose que je dois faire est avancer, un pas après l'autre. Autour de moi des formations géologiques démentes, sculptées par l'érosion, ressemblent à des têtes de mort. De gros cailloux difformes semblent me regarder en riant. Cela me rend nerveux. Et sur l'horizon, de plus en plus proches, les volcans jumeaux, Parinacota, Pomerape… Le Sajama est déjà derrière moi. Je parviens à dormir quelques heures, urinant sous mes couvertures dans une bouteille de plastique. Je passe la frontière à midi, les sens altérés par le manque d'oxygène, un poncho serré par-dessus ma veste. L'enseigne « Bienvenue au Chili » grince dans le vent glacial, et maintenant je dois pousser en descente contre les rafales. Je pense aux feuilles de coca que Laura m'a données à Puquio, sur la queue du dragon… Mais je résiste, et n'en prends pas. Les derniers kilomètres dans le souffle de la bête sont un réel supplice, et j'arrive les os gelés au poste-frontière du Chili, au bord du lac Chungará. Deux officiers, Sergio et Omar, viennent à ma rencontre et m'offrent une soupe chaude. Je me demande aujourd'hui ce qui les a le plus effrayés : ma mine cadavérique ou ma respiration caverneuse d'asthmatique…

Au bord de ce lac magique, peuplé de flamants roses s'ébattant dans l'eau claire et les reflets du volcan, j'abandonne la cordillère. En descendant vers Arica, sur la côte Pacifique – la porte du désert –, je lance un cri de victoire qui se perd dans les montagnes : j'ai dompté le dragon !

Toute faiblesse a disparu. Je marche vers le désert, le cœur en étendard.

LE DÉSERT D'ATACAMA

5 août 2002 – 2 décembre 2002

→ **CHILI** →

À la station d'autobus d'Arica, les chauffeurs rassemblés me fixent avec stupeur. « À pied ? Tu veux traverser le désert à pied ? » Je m'efforce de paraître détendu en hochant doucement la tête. À leur connaissance, me disent-ils, personne ne s'est jamais risqué dans pareille aventure. Le désert d'Atacama est le plus aride – et le plus haut – du monde. Bordé par l'océan Pacifique et la cordillère des Andes, il s'étend sur 1200 kilomètres depuis la frontière péruvienne jusqu'à la ville de Copiapo. Entre ces points, rien d'autre qu'une immensité sidérale de roches craquelées, de volcans, de déserts de sel, de lacs asséchés... Penché sur ma carte, je trace des croix aux endroits supposés des *posadas*, ces haltes de camionneurs où l'on sert à manger. Toutes sont distantes les unes des autres de plusieurs jours de marche. Ma poussette gonflée de conserves et de bouteilles d'eau, je m'engage le 5 août sur la route poussiéreuse s'en allant vers le sud, déchirure rectiligne sur une terre raclée jusqu'à l'os. La première nuit, je m'allonge simplement en retrait de la route et je contemple le ciel. Dans ce désert où le taux d'humidité atteint à peine 4 %, l'extrême pureté de l'air amplifie l'éclat de l'astre le plus lointain... Certaines brochures touristiques prétendent que la région est « idéale pour l'observation des ovnis ». Je souris... Cela doit tout de même être assez rare, le passage d'un ovni. La veille, alors que je dormais dans la petite chambre d'un stade de soccer, un type étrange est venu tambouriner à ma porte. Affublé de grosses lunettes noires, agité de tics,

Dan se présente comme mon grand frère. « Retiens bien tout ce que je vais te dire », ordonne-t-il. Avec des airs de conspirateur, il tend le doigt vers son soulier gauche où une soucoupe volante et le visage de Jésus apparaissent sur fond de montagnes. Il m'explique que des enfants, ayant eux-mêmes rencontré Jésus, ont fait ce dessin sur son soulier. Puis il enchaîne : « Je suis ici pour t'apporter un message : ils ne sont pas dangereux. Tu en verras sûrement au cours de ta longue marche. Si tu les vois, contacte-moi. » Au moment de partir, il se retourne brusquement : « Si tu hésites, prends toujours le chemin de gauche. Toujours. À gauche. » Puis il s'en va. Dan était probablement fou. Mais cette nuit, dans le désert, je rêve que des extraterrestres descendent à ma rencontre, et je les supplie d'autoriser Luce à venir avec moi…

Un matin, à trois jours de marche d'Iquique, je découvre autour de moi d'étranges dessins que je n'avais pas remarqués la veille, à la nuit tombée. Des lamas géants semblent m'observer du flanc de la colline. Ce sont des géoglyphes, immenses fresques tracées au moyen de pierres posées sur le sol par des civilisations précolombiennes. Bien qu'elles regardent le ciel, certaines restent visibles depuis cette route des Incas… Je m'amuse à les reconnaître : guanacos, condors et renards côtoient d'envoûtantes formes abstraites. Cette vaste terre brûlée, désertée par les hommes, vibre de la présence des divinités invisibles gravées dans son sein, et le désert entier semble parler aux cieux en cette langue mystérieuse, éternelle.

Comme un chercheur d'or qui revient au saloon après six jours d'exploration, je me jette littéralement sur la porte d'une *posada* bondée de mineurs et de camionneurs, installée à l'entrée d'une minuscule communauté de pêcheurs. La majorité des clients travaillent dans la mine de salpêtre… Je pense parfois que je marche sur les plus importants gisements de lithium, de cuivre, de fer… Étonnant désert, où la terre inféconde regorge d'inestimables richesses.

Les jours s'égrènent en une profonde descente en moi-même. Roche et sable et mer à perte de vue, je me fonds dans ce bleu et ce beige. Il n'y a rien à voir, rien pour me distraire que la monotonie des pas caressant le silence, et pourtant ma vie intérieure se déploie comme une plante exotique, s'abreuvant des pensées qui éclatent. Je leur laisse libre cours, soudain je m'autorise tout, révélations, mirages, fantaisies, imagination, prophéties... Le vrai ou le faux, plus rien n'a d'importance. Le concept de bien et de mal se dilate et se meurt. Plus de Dieu, plus de religion. Je suis seul dans ce désert, il n'est d'autre loi que la mienne. Le soir, souvent, j'écris. Je noircis mon journal de croquis, tentant de représenter la gravitation, la raison, Dieu même ! Je me sens étrangement baigné de mysticisme. Sans doute parce que je SUIS Dieu, à cet instant précis. Je me grise de cette puissance nouvelle, et je hurle au désert – oui, je hurle, comme un dément, comme un fou, qui m'entend ?

Sur la route d'Antofagasta, après avoir passé la Punta de Lobos (la Pointe des Loups), j'ai soudain le sentiment que la mer qui vient frapper les roches en mouvements réguliers tente de m'attirer. Je m'assieds sur un rocher, les yeux clos, pour entendre ce qu'elle a à me dire. Et je l'entends. Je l'entends réellement. Elle murmure : « Je suis née d'un souffle, trop loin pour que tu puisses te rappeler. De lunes pleines en fins croissants, j'ai couru mille milles marins et rencontré mille marins. Puis j'ai marié mon bleu avec celui du jour et mélangé mon bleu avec l'orangé du couchant brûlant. Aujourd'hui de très loin tu as marché jusqu'à moi, entre désert et mer. Je m'approche et je ne peux t'envelopper, mais je sais que je te touche. Maintenant je suis près de toi, tu regardes ma chevelure turquoise et lumineuse se jeter en écume blanche sur le rivage de pierre. Cette écume de la fin de mon histoire, c'est mon dernier sourire pour toi. Maintenant, écoute les secrets que te souffle ton âme, jusqu'à ton dernier rire. Tu as encore mille parcours devant toi. » Soudain je me lève et crie de toutes mes forces, la gorge dans un étau : « Pourquoi, pourquoi me parles-tu ? » Mais elle s'est tue, et toujours devant moi, j'entends le rire déboulant de cette écume qui n'en finit plus de se moquer de moi.

Mes retours parmi les hommes me bouleversent autant qu'ils me rendent heureux. Après des semaines de solitude absolue, l'immensité de la ville d'Antofagasta me contraint à une adaptation rapide. Plus de 300 000 habitants y vivent au pied de l'abrupt formé par la cordillère, tournés vers le plus grand port d'exportation de la côte du Pacifique. C'est d'ici que s'en vont les trésors arrachés au désert, principalement le cuivre extrait de la Chuquicamata, la plus grande mine de cuivre à ciel ouvert du monde. Isabel Osorio, consule honoraire pour le Canada, m'entraîne dans un tourbillon de fêtes et de célébrations. Pendant deux jours, ma poussette s'étale à la une des journaux et se pavane à la télévision ! Étonnante Isabel, si enthousiasmée par ma marche qu'elle a décidé de m'accompagner pendant quelques jours dans le cœur du désert. Plus surprenant encore dans cette ville improbable, un Espagnol est là, qui m'attend. Après avoir lu un article dans une revue de son pays, il a quitté Murcie, au sud d'Alicante, pour accomplir son rêve de pousser mon chariot, m'explique-t-il. Le matin du départ, je suis plutôt inquiet. Nous marchons tout le jour sur une méchante route de gravier rugueux et dormons sous la tente, dans un décor lunaire. Nous nous réveillons sous un ciel blanc, et rapidement le soleil se fait écrasant. Isabel est équipée d'une poussette très sophistiquée, au châssis léger, et Antonio a entassé ses affaires dans un petit chariot de golf luxueux qui me paraît bien fragile pour ce *green* de pierres. Je les décharge autant que possible, maudissant leur candeur. Si quelque chose se brise, nous serons totalement seuls ! La chaleur s'intensifie à mesure que le soleil monte, et nous avançons. Isabel insiste pour emprunter la route de la côte, plus belle mais totalement déserte… Le soir venu, nous installons notre campement près des vestiges d'une ancienne mine, et Antonio improvise un feu avec quelques fragments de bois trouvés sur le bord de la route. Nous rions de nos aventures et je me détends un peu. La nuit tombée, nous grimpons sur la colline pour écouter le silence sous les feux blancs d'un milliard d'étoiles.

Ils me quittent après quatre jours de marche, visiblement heureux, et nous nous embrassons. Plus tard, je réalise que je ne sais même pas qui était Antonio ! Comment vit-il ? Travaille-t-il ? Il est apparu dans ce désert brûlant, comme venant de nulle part. J'étais trop rongé d'inquiétude pour que nous discutions. Je me souviens simplement qu'il m'a dit : « Je veux marcher avec toi, pour vivre quelque chose qui n'aura pas de prix. »

Le lendemain, accablé de fatigue et de chaleur, je conduis ma poussette sur une terre crevassée, encombrée de cailloux. Je ne vois plus les petites fleurs du désert qui éclatent au fond des crevasses, je ne vois plus les cactus ni les arbustes en fleur, pas même les cueilleurs d'algues sur le bord des rochers qui tirent leur crochet à la mer. Je n'ai plus qu'une idée : sortir de ce désert. Puis, à la fin du jour, alors que j'installe mon campement dans un écrin paradisiaque entre des rochers bordés de cactus et de buissons en fleur, je m'étonne de la violence et de la soudaineté de mes sentiments. Nous devons nous réconcilier, le désert et moi. On va boire un verre. J'ouvre une bouteille de vin offerte par Isabel et la vide tranquillement en parlant à voix haute, racontant mes pensées à la lune. Son bon visage rond semble m'approuver, elle m'invite à lui rendre visite à la fin de mon voyage. Après quelques déclarations et promesses d'ivrogne, un éclair de lucidité me fait clairement voir le ridicule de la situation. La vague, les étoiles, la lune… Je suis tellement seul que j'éprouve le besoin de m'inventer des amis. Demain je parlerai aux scorpions !

Ironiquement, alors que le désert m'enveloppe d'un manteau de solitude, je n'ai jamais été aussi entouré, ni aussi célèbre. Contactés par Luce, totalement dévouée à la cause des enfants, les médias chiliens se passionnent pour ma marche et des dizaines d'articles paraissent dans les journaux. Partout je découvre qu'on attendait mon passage, les convois klaxonnent et me saluent lorsque je croise leur route. J'arrive à Copiapo dans une ambiance de fête, accueilli comme une star par des dizaines d'enfants qui m'escortent en riant jusqu'à la place centrale où une petite fanfare joue des airs du pays en l'honneur de ma marche. Depuis plusieurs jours flotte dans l'air un parfum différent, comme une brise de vie. Cactus et broussailles se font plus nombreux, il me semble respirer déjà la promesse des vertes vallées du sud... En quittant Copiaco, le désert me réserve une offrande somptueuse. Juste avant mon passage, quelques pluies régulières – phénomène rarissime – ont fait éclore les milliers de bulbes en latence enfouis sous la terre aride. Lorsqu'une tendre ligne pourpre apparaît au loin sur la plaine, je crois à un mirage, mais je marche bientôt entre ces millions de fleurs aux corolles fragiles, comme un tapis d'éclats fauves. Les flancs des montagnes disparaissent sous une soie violette, et au loin les farouches griffes-du-lion déchirent de leur rouge profond des étendues pastel de variétés bleu pâle, blanches ou mauves vacillant dans le vent au bout de leurs tiges vertes comme autant de bulles de savon. Je campe dans cette splendeur sur le lit d'une rivière où de petits scarabées chorégraphient pour moi un ballet psychédélique de leurs rayures turquoise.

J'entends un puma feuler, mais il respecte la trêve et se tient à distance.

Je quitte le désert aux premiers jours de novembre, dans une vallée de vignes.

AUX PAYS DES « CHE »

3 décembre 2002 – 30 juin 2003

→ ARGENTINE → URUGUAY → BRÉSIL →

Je traverse une dernière fois la cordillère, empruntant les impressionnantes *caracoles* qui gravissent la montagne en lacets très serrés jusqu'au tunnel du Christ-Rédempteur, à la frontière de l'Argentine. La terre est rouge sur ce versant est des Andes. Je sens la présence intimidante du gigantesque Aconcagua, le plus haut sommet des Amériques, perdu dans la brume. Ceux qui ont vainement tenté de le vaincre reposent contre son flanc, au cimetière des Andinistes. Dans le lit de la rivière Mendoza, les calcaires luisants reflètent des éclats rouge et ocre. J'installe ma tente sous un ponceau jeté sur un fossé, et me réveille au son de la pluie. La route est en pente douce, pourtant l'effort me pèse. Je contemple la rivière qui coule dans la vallée aride, là, tout en bas, chargée de boues brunâtres après la fonte des neiges. Je suis d'humeur maussade, l'esprit vide. Je n'ai plus la force de penser, je laisse simplement aller le temps et les pas. Il me faut six longs jours pour atteindre Mendoza, et la route en ligne droite qui me conduira à Buenos Aires, à 1200 kilomètres de là.

Il doit être midi quand j'aperçois devant moi un semi-remorque citerne renversé dans le fossé. Une centaine de personnes font calmement la queue pour remplir leurs récipients d'un liquide brun luisant... Leurs sourires éclatent à mon approche, « regarde, Che, regarde ! », les enfants dansent autour de leurs mères portant avec mille précautions des baquets débordant de succulent chocolat. Le chauffeur ? Il est sauf, me rassure-t-on distraitement. Quelques enfants détalent puis reviennent en traînant leur père, un bidon sous le bras. On compare les butins en riant… Il y aura une grande fête ce soir au village, dont on se souviendra longtemps. Cette scène me touche profondément et m'insuffle un regain d'optimisme. Le vrai bonheur tient à si peu de chose que si l'on s'y prend bien, on doit pouvoir le croiser plus d'une fois dans sa vie…

Je quitte la somptueuse Mendoza décidé à dévorer d'un coup les 3000 kilomètres qui me séparent encore de São Paulo, au Brésil. Une villégiature, une promenade au regard des épreuves que je viens de traverser… Pauvre naïf! Les premières semaines me voient souffrir mille morts. Mes nouvelles chaussures me torturent, je marche dans une chaleur humide et étouffante qui m'écrase de fatigue. Mais, surtout, il me faut m'adapter aux Argentins… Et à leur rythme de vie. Un cauchemar ! Ils se lèvent aux aurores, dorment lorsque je marche – pendant l'après-midi –, puis se réveillent fringants quand j'aspire au repos et vivent et bougent et mangent au milieu de la nuit alors que mon corps craque et ne rêve que de dormir… Pour manger, je me résigne à attendre minuit, et je veille scrupuleusement à maintenir intactes mes réserves d'eau, tant les petits sanctuaires qui bourgeonnent le long du chemin m'impressionnent. Ils sont dédiés à la défunte Correa, morte de soif en suivant son époux à la guerre dans le désert de San Juan, son nourrisson au sein. Les muletiers, camionneurs, et tous les voyageurs ont entretenu son culte, déposant devant sa statue des dizaines de bouteilles d'eau dans les humbles sanctuaires qui jalonnent la route.

Le paysage se transforme peu à peu. Les vignes laissent place à de vastes champs de tournesols, travaillés par des familles de paysans qui m'accueillent avec chaleur. Dans la région de Córdoba, je m'étonne de la dentition jaune-brun ravagée des hommes que je rencontre : la production monstre de soja génétiquement modifié de Monsanto, accélérant l'appauvrissement, aurait eu un effet dévastateur et quasi immédiat sur la santé du peuple... Partout où je fais halte, une hargne profonde contre les États-Unis s'exprime avec force. Américains honnis, soupçonnés de vouloir contrôler leurs ressources, voler leurs terres, leurs industries, et même de tirer les ficelles de leurs jeux politiques. Un soir de février, au village de Carabelas, je suis accueilli par le prêtre local. En m'emmenant vers le presbytère, il jure comme un charretier contre l'heure qui avance, les automobilistes fous et le temps qu'il fait. Je m'amuse de son langage coloré. Il est curieux, ce *padre*. Une couronne de cheveux gris orne son crâne dégarni. Il doit avoir soixante-dix ans, mais un œil cynique et railleur pétille de jeunesse sous son front dégagé. Ses lèvres minces s'agitent en un flot continu de rires sonores et d'injures. Alors que nous sommes installés devant le foyer où réchauffe, sur les braises, un délicieux *assado* de poulet, je le regarde déboucher son vin d'un mouvement expert, arrosant la liste des dirigeants argentins d'une belle bordée de blasphèmes. Mâchouillant ses mots entre les gorgées d'alcool, et crachant dans son enthousiasme des fragments d'*assado*, il égrène son chapelet infernal : « Ce maudit bâtard qui s'est sauvé en Europe avec la caisse de l'État... Et l'autre imbécile qui a bradé nos entreprises à des étrangers ! Et le dictateur, ce fils de pute qui a massacré des milliers de personnes », etc. Il jure à n'en plus finir, en même temps que ses portraits tracés au couteau avec intelligence prennent vie dans la cuisine du petit presbytère, au cœur de la pampa humide, sous les eucalyptus et le chant des perroquets. Dans cette volubilité déchaînée, je lis toute la souffrance d'un peuple, et en même temps tout son plaisir de vivre. Les Argentins aiment rire d'eux-mêmes... C'est aussi une façon d'échapper à la tristesse.

Quelques semaines plus tard, sur le Rio de la Plata, à bord du luxueux traversier qui m'emporte vers l'Uruguay, je ressens un certain soulagement. Je viens de passer dix jours à

Buenos Aires, une ville tentaculaire où le raffinement côtoie la plus extrême pauvreté. J'ai visité des *favelas*, rencontré des enfants des rues, d'humbles mendiants, des prostituées… Et le Prix Nobel de la paix, Adolfo Pérez Esquivel, qui a lutté toute sa vie pour défendre les droits des paysans et des ouvriers. Mon écœurement du monde a bientôt refait surface, et j'aspire à retrouver la paix – toute relative – des contrées isolées.

La traversée des paisibles prairies et collines verdoyantes de l'Uruguay est un repos de l'âme, et ce n'est que plus au nord, en remontant la côte brésilienne de l'Atlantique, que je croise à nouveau sur ma route de – trop – nombreux mendiants. En marchant vers Pelotas, au milieu de champs de culture où les gauchos sirotent leur *cimarrón*, une infusion d'herbes traditionnelle, je rencontre un jeune homme d'une vingtaine d'années. Il a faim. Nous nous installons sur le bord du chemin pour partager mon pain. Après quelques propos alambiqués, il m'avoue en confidence qu'il ne sait où aller : il s'est évadé cinq mois plus tôt d'une prison du Nord. Il avait pris dix ans pour une obscure querelle de jalousie… J'ignore s'il a tué. Mais il est là, confus, terrifié, dévoré par la peur. C'est elle qui l'a fait s'enfuir de prison, elle encore qui le ronge dans sa cavale désespérée. Il pense que je suis un peu comme lui, dit-il, un fugitif, et ses yeux se remplissent de larmes. Il raconte qu'il voudrait rejoindre le Chili, « il paraît qu'on est bien, là-bas ». Sa naïveté me serre le cœur. « Tu ne pourras pas traverser les hautes chaînes de montagne, l'hiver arrive et les passes sont surveillées. Autour de la frontière bolivienne, les terrains sont minés. Reste dans ce pays, ou peut-être l'Argentine, le Paraguay… Mais ce sera difficile. » Je n'ose insister davantage tant mes paroles l'accablent. L'angoisse et la fatigue ont creusé sous ses yeux de profonds cernes pourpres, qui donnent à son regard une troublante orientation intérieure, comme s'il voyait le monde à travers un miroir au-dedans de lui-même. « Un jour, dis-je doucement, tu devras regarder la vie en face. Tu n'auras pas le choix… » Puis nous nous séparons, nous en allant chacun sur nos chemins respectifs. Je me retourne un bref instant et le vois, avec son short, son sac à dos presque vide et ses sandales usées jusqu'à la corde, en guenilles… Il n'avait que vingt ans. Et j'enrage de tristesse, comme si c'était mon fils… Pourquoi, pourquoi ce pauvre diable s'est-il enfui ? Où est-il, aujourd'hui ?

De villes en villages et de rencontres en fêtes, je plonge avec bonheur dans l'exubérante et joyeuse culture brésilienne. Mes pensées, pourtant, sont déjà au-delà… Dans une poignée de semaines, je quitterai ce continent pour une terre nouvelle, totalement inconnue… L'Afrique. Tous les jours, je consulte mes cartes et pense au vaste continent en regardant la mer. J'essaie de m'imaginer le sourire des gens, la forte présence de la faune sauvage… Je prévois d'y passer trois ans, et brûle d'excitation à l'idée de l'explorer pas à pas. Début mai, alors que je peaufine mon itinéraire dans un cybercafé de Porto Alegre, je suis abordé par un drôle de petit personnage. Chauve, une veste militaire tendue sur sa bedaine rebondie, il porte une barbiche à la Lénine et une paire de sandales. Pierre Bérard est un membre actif des mouvements français d'extrême gauche, sorte « d'expatrié politique » à Porto Alegre. Il se définit comme un scientifique « autodidacte des mouvements politiques », et se lance dans une longue conférence sur l'histoire de l'Afrique, détaillant avec une précision démente le pourquoi et l'évolution de chaque zone de conflit. J'en reste abasourdi. Voyant ma confusion, Pierre m'entraîne dans une boutique où j'achète une série de cartes détaillées du continent africain. Il me convainc finalement de modifier ma route : plutôt que de risquer mes pas à l'ouest à travers le Congo ou la Côte d'Ivoire, j'emprunterai un itinéraire bordant l'océan Indien, sur la côte est de l'Afrique.

Mes derniers jours à São Paulo sont un marathon financier. Depuis Montréal, Luce se démène pour débusquer les bienfaiteurs qui accepteront de payer mon billet d'avion pour Johannesburg. Nous y parvenons *in extremis*, grâce à la générosité de South African Airways, ainsi que d'un Canadien et d'un Brésilien. À la résidence officielle du consul du Canada m'attendent, pimpantes, ma dix-septième paire de souliers et une nouvelle poussette à trois roues.

Le 18 juin 2003, non loin du port de pêche de Cananeia, je marche sur la plage jusqu'à la lisière de l'eau. On raconte que c'est à cet endroit précis qu'a débarqué, il y a plus de cinq cents ans, le premier Portugais… Pensif, ayant conscience de créer un rituel, je gratte un peu de sable sous mes pas, puis je le jette à l'eau.

J'en ai fini avec ce continent, mes pas s'en sont allés à travers l'océan jusqu'à la côte d'Afrique. C'est là-bas que je les retrouverai.

Si Dieu le veut.

CANADA
Montréal. Quelques minutes avant le grand départ. À gauche, mon fils, Thomas-Éric, moi-même, mon père Benjamin, que je vois vivant pour la dernière fois, et ma fille Élisa-Jane.

ÉQUATEUR
Mitad del Mundo, 00°00'00''. Un pied sur chaque hémisphère, expérimentant l'équilibre et la force de Coriolis, Luce et moi lors de notre seconde lune de miel.

PÉROU
Pèlerinage vers Machu Picchu. Mon camp entre Limatambo et le sentier inca au pied du Nevado Salkantay. Nous cherchons les mules pour continuer notre trek.

Jean Béliveau
DESDE CANADA CAMINANDO
ALREDEDOR DEL MUNDO
por la Paz de los niños
www.wwwalk.org
2000
2010

CHILI
Solitude dans l'aridité de l'Atacama : rien que du beige et du bleu, le sol nu et le ciel.
PHOTO : GLEN ARCOS MOLINA

TANZANIE
Haneti. Ce jeune guerrier Massaï pousse mon chariot comme des centaines de jeunes et moins jeunes l'ont fait joyeusement partout dans le monde.

KENYA
Après une courte tournée de promotion, tout propre, je circule en plein jour de marché dans la longue banlieue de Nairobi.

→ → → → → → →

→ → → →

→ → → → → → → →

→ → → → → →

ÉTHIOPIE
Les labours faits à la main contrastent avec l'exubérance des verts dans les montagnes.

MAROC
Taza. L'homme qui parlait aux moutons.

SOUDAN
À mon arrivée à Moltaga, tous me souhaitent la bienvenue après la traversée du désert qui a duré dix jours. Je ressens plein d'amour. Ils m'offrent oranges, pommes, pamplemousses...

SOUDAN
J'ai aimé traverser les longs déserts. Une fois rentré dans l'immensité de mon espace intérieur, l'extérieur devenait accessoire. Heureusement, quelques passants m'ont sauvé de la faim en m'offrant des sacs de dattes.

→ → → → → → → → → → → → → → → → →

ALLEMAGNE
Le mur de Berlin : mémoire d'un lourd passé.
PHOTO : MARTINE LEFRANÇOIS

HONGRIE
Rákóczifalva. À mon arrivée dans ce petit village, je découvre qu'on a organisé une importante célébration pour souligner ma marche qui a atteint 40 000 km, soit la circonférence de la Terre.

→ → → → → → → → → → → → → → → → → →

SERBIE
Titel. Une balade en famille hors du temps.

TURQUIE
Cide. Me dirigeant vers l'Asie et de plus en plus loin des miens, mon vague à l'âme ainsi que les montées et descentes de la route longeant la mer Noire ont presque eu raison de ma détermination.

IRAN
Bandar Abbas. Dans les régions du Sud, certaines femmes bandari portent la burqa : une sorte de masque rigide qui serait moins lié à la religion qu'à la mode.

IRAN
Delijan. Tchador ou pas, qui ne montre pas d'intérêt pour les bijoux rutilants ?

INDE
Indore. Quel que soit le pays, tous les grands-pères adorent leurs petits-enfants.

INDE
Bokakhat, Assam. Je me suis laissé charmer par la célébration du *Bihu*, le Nouvel An assamais.

→ → → → → → → → → → → → → → →

NÉPAL
Narayangarh. Humbles et des plus accueillants, les Népalais m'ont enseigné la vraie richesse.

CHINE
Dazhu. J'ai toujours été attiré par les odeurs de la cuisine champêtre chinoise. Elle fut l'une de mes préférées, à la fois riche, variée et savoureuse.

CORÉE DU SUD
Séoul. La Garde royale s'entraîne pour les célébrations qui auront lieu le lendemain.

→ →

TAIWAN
Après une conférence à l’école bilingue Kang Chiao, je fais réciter aux élèves les six points-clés du Manifeste 2000 pour une culture de la paix et de la non-violence de l’ONU.

MALAISIE
Sur la véranda d’une maison longue à Bornéo, je pose en compagnie d’un Iban revêtu des habits traditionnels.

→ → → →

PHILIPPINES
Calbayog. Un bébé irrésistible et un papa ravi.

AUSTRALIE
Stuart Highway. À 45 °C, il fait bon trouver un petit coin d'ombre pour déguster un ragoût à même la boîte !

LOS ANGELES
TROPIC OF CAPRICORN
659 nm
1220 km
LONDON
9735 nm
18029 km
SYDNEY
1066 nm
1975 km
TOKYO
4576 nm
8475 km
JEAN BELIVEAU
Walk.org

NOUVELLE-ZÉLANDE
Cap Reinga. Je pense que le bouchon de ce mousseux a sauté jusqu'au Canada tant on était heureux de ces derniers pas avant mon pays. J'ai suivi le bouchon… mais en avion.

CANADA
Lac Louise. En marchant dans la tempête de neige, je me disais : « Bienvenue au Canada, voilà ce pour quoi tu es fait ! »

→ → → → → → → → → → → → → → → → →

→ → → → → → →●

CANADA
Les derniers 19 km traversant l'île de Montréal. Dans le premier peloton, on aperçoit Thomas-Éric, Élisa-Jane et mes deux petites-filles, Laury et Amira.

QUELLE BONNE ESPÉRANCE ?

2 juillet 2003 – 25 octobre 2003

→ AFRIQUE DU SUD →

AFRIQUE
Terre primitive, terre du futur
Terre sauvage, terre nouvelle, terre d'un autre espace
Terre invincible
Je ne sais pas comment te saisir
À moins que je ne te tue ?
Si je te tue, je mourrai.
(Soudan, 21 octobre 2004)

Dressé à l'extrême pointe du cap, fouetté par le vent, je regarde les vagues éclater contre les rochers dans un déferlement d'écume. Je descends à la mer et saisis dans l'eau une poignée de ce sable qui porte encore l'empreinte du pas que j'ai projetée là-bas, au Brésil, sur la plage de l'Ilha Comprida. Je me sens aussi ému que le jour de mon départ, à Montréal. Je vais marcher l'Afrique depuis le cap de Bonne-Espérance jusqu'au détroit de Gibraltar… Un continent, mille mondes à découvrir, et je ressens soudain ma présence ici comme une évidence. Les événements qui m'y ont conduit se sont enchaînés avec une facilité déconcertante. Quelques mois plus tôt, sur le traversier qui m'emmenait vers l'Uruguay, j'avais fait la rencontre de Tony Da Cruz, un Sud-Africain en vacances qui m'avait offert de m'accueillir à Johannesburg. Un ange gardien, encore… Il m'a emmené chez lui, m'a choyé, transporté, puis m'a trouvé un vol pour le sud du pays où d'autres de ses amis ont pu prendre le relais. Un dernier regard aux vagues démentes et aux roches immergées qui ont tant tourmenté les marins dans les siècles passés, et je pars. À part Chris, mon hôte à Cape Town, seuls quelques cormorans et une colonie de babouins sont témoins de mon départ.

La route est belle, paisible, bordée de vastes cultures qui meurent à l'horizon dans une chaîne de montagnes. Pourtant, cette terre riche et hospitalière me fait ressentir bientôt une impression de malaise. Partout où je m'arrête, je suis accueilli somptueusement, avec une rare chaleur... par des Blancs, qui organisent pour moi une chaîne d'hospitalité impressionnante. Plus de surprise, d'imprévu : partout je suis attendu et pris en charge par « ma communauté », définie grossièrement par la couleur de peau. Souvent, mes hôtes s'inquiètent : « Ne t'attarde pas dans les villages où il y a des Noirs. C'est risqué... » Mes rapports avec ces derniers sont pourtant cordiaux, même si, à deux reprises, les policiers auxquels je demande l'hospitalité m'enferment en prison. « Hé ! Je suis canadien, venez ouvrir la porte. Je ne suis pas un criminel, je suis un invité. » Mais pendant la nuit, les équipes ont changé, et personne ne m'écoute. « Ton dossier n'est pas clair, nous devons en référer au chef. » Je dois attendre de longues heures qu'on vienne me libérer, pendant que mon codétenu, hilare, se tord de rire.

Dans la campagne de Swellendam, un couple d'éleveurs me reçoit dans sa typique ferme hollandaise couverte d'un toit de chaume. Je leur demande s'ils ont quelques amis noirs. « Bien sûr ! » s'exclament-ils, en citant ces familles qui travaillent pour eux et vivent sur leurs terres. Les relations existent, le respect, l'affection même... Mais dans l'égalité ? L'apartheid semble encore gravé dans les cœurs. J'observe la cuisine d'antan en sirotant un *rooibos* avec le sentiment de reculer dans les temps coloniaux, mais sous la nouvelle emprise africaine. Je perçois les efforts de mes hôtes pour construire de nouvelles relations, c'est par l'éducation, me disent-ils, que l'égalité et la dignité s'affirmeront. Ils y consacrent tous leurs efforts. Malgré tout, c'est long…

En longeant la célèbre route des Jardins, bordée de forêts et de plages magnifiques aux dunes languissantes, je songe tristement à ce paradis altéré par des hommes farouches au comportement d'enfant, refusant de voir une valeur réelle dans la culture de l'autre. Partout les Afrikaners et les Anglos me dorlotent et me célèbrent, sensibles à mon bien-être, m'accueillant dans les endroits les plus paradisiaques dans une ambiance de fête. Michelle a lancé cette longue chaîne d'hospitalité, ronde tourbillonnante de *braais*, de bières partagées et de vins qui m'enivrent. Leur générosité, leur chaleur me bouleversent, en même temps je me sens épuisé, et comme prisonnier d'un demi-monde, séparé de sa moitié par une cloison de verre. Malgré moi, je suis pris dans un camp, et cela me déplaît.

Mes efforts pour me rapprocher des populations autochtones sont une série d'échecs. En pénétrant dans le Transkei, ancien bantoustan essentiellement peuplé d'Africains de l'ethnie xhosa et terre natale de Nelson Mandela, je suis frappé par la méfiance et l'hostilité des regards qui s'attardent sur moi. Un matin, à une dizaine de kilomètres d'Umtata, alors que je traverse des prairies dorées piquées de joyeuses maisons colorées, deux jeunes dégageant une forte haleine d'alcool se jettent sur ma poussette et tentent de s'en emparer. Je résiste en jouant des épaules. « La police arrive », dis-je dans leur langue d'un ton coupant. Alors qu'ils rejoignent leurs amis, tous visiblement soûls, je m'esquive en arrêtant une camionnette qui me dépose huit kilomètres plus loin. Soudain une patrouille apparaît… « Où étais-tu ? Nous te cherchions ! » J'avais en effet remarqué la présence plus soutenue de la police sur mon passage. Visiblement inquiet, l'agent m'informe que les patrouilles se relaieront désormais pour assurer ma sécurité. Il pense que mon physique m'a pour l'instant protégé, mais me conseille fortement de ne dormir qu'à proximité d'un poste. Sa réflexion me fait sourire... J'ai vécu ma vie d'avant sans jamais prendre vraiment conscience de mes avantages physiques. Je suis grand, c'est vrai. Bâti comme une armoire de ferme, affublé de mains en râteau qui me désespéraient quand j'aspirais, plus jeune, à devenir un artiste... Des mains pareilles, ça ne peut pas peindre *La Joconde*, pensais-je. Mais quand ça se dresse bien haut en signe d'avertissement, ça vous fait détaler le plus mauvais des vauriens! S'ils savaient, ces voyous qui ont croisé ma route... Ils m'auraient détroussé facilement. J'ai toujours été incapable de me battre.

En revanche, j'étais déterminé à prendre mon territoire. Sur ces terres où les hommes ont été opprimés, je décide d'adopter une attitude résolument offensive, mais jamais offensante. En poussant un matin la porte d'un petit restaurant, je comprends aussitôt que je pénètre dans un champ de mines. Parfait. J'entre. Les clients attablés, tous noirs, accueillent d'un silence de plomb l'arrivée de l'homme blanc, comme si ma seule présence constituait en elle-même une grave provocation. Je m'installe à une table. Aussitôt, un serveur apparaît et m'informe sèchement qu'il n'y a plus de ragoût, le plat du jour. « Ce n'est pas grave, dis-je poliment, donnez-moi autre chose. » Alors un homme se lève et se plante devant moi: « Tu ne veux pas manger la même chose que nous? C'est de la merde, pour toi? » Je me souviens lui avoir répondu avec la même fermeté bienveillante dont j'usais autrefois avec mes proches quand ils passaient les bornes. Nous sommes, tous, des êtres humains, et je refuse de me laisser intimider, par qui que ce soit.

J'ai gardé ma place.

En marchant, je réfléchis à notre étrange condition. Il y a quelque chose qui ne va pas dans le cœur de l'homme, comme si notre espèce, animée par des forces destructrices aussi puissantes que sa force de vie, éprouvait les pires difficultés à s'harmoniser avec sa propre nature. Pourquoi semble-t-il si difficile de comprendre ses faiblesses, et de les accepter? Nul besoin de se mentir sur l'homme pour parvenir à l'aimer… Dans la nature, les concepts de bien et de mal n'existent pas. C'est l'évolution qui dicte sa loi.

Au long des quatre mois passés en Afrique du Sud, je serai accueilli par quatre familles noires. Pas une n'acceptera d'évoquer cet apartheid latent. Le tabou est total, enfermé à double tour sur des cœurs compartimentés où bouillonne encore, quelque part, un relent de révolte et de violence.

Les choses auraient-elles été différentes si j'avais possédé, alors, le plus précieux des sésames? Ma rencontre avec Nelson Mandela n'a duré que quelques minutes, pourtant elle a été la clé de ma protection, me couvrant à travers toute l'Afrique d'une aura exceptionnelle. À la demande d'un ami précieux, Elmar Z. Neethling, le maire de Durban, au nord-est du pays, a organisé cette rencontre que je tentais d'obtenir en vain depuis des semaines. Elle a lieu en octobre, en marge de l'inauguration dans la ville d'un centre pour les jeunes. La gorge nouée d'émotion, je lui dis à quel point son exemple m'inspire et lui présente la marche que je dédie «à la paix et à la non-violence au profit des enfants du monde». Il serre ma main en souriant: «Le monde a besoin de gens comme toi.» C'est un peu ridicule, je le sais, mais comme une midinette, j'ai le cœur qui chavire!

Quelques jours plus tard, alors que je traverse le territoire zoulou, un vieil homme me tombe littéralement dans les bras: «Tu as touché Mandela! Tu es béni!»

« RAMBO » AU PAYS DU TEMPS

26 octobre 2003 – 8 avril 2004

→ **SWAZILAND** → **MOZAMBIQUE** → **MALAWI** →

Sur la pointe des pieds, je contourne l'âne qui ronfle sur la route devant un groupe de huttes recouvertes de maigres toits de chaume. Les maisons ont disparu en un clignement de cils sitôt passé le poste-frontière du Swaziland, petit royaume enclavé entre l'Afrique du Sud et le Mozambique. Je me sens d'emblée plus détendu : les passants me sourient, quelques Blancs semblent deviser avec leurs frères noirs comme s'ils étaient de la même couleur… Pourtant, un autre malaise fond sur moi comme l'aigle sur sa proie. Si la population du pays a échappé à l'épreuve de l'apartheid, le Swaziland, ancien protectorat britannique, survit sous le joug de la seule monarchie absolue du continent dans une pauvreté extrême. À l'approche de Big Bend, le paysage reverdit en de vastes plantations de canne à sucre. Le village émerge de ces écrins de verdure, et les pauvres s'entassent sur les terrains arides. Au bar d'un petit hôtel, je rencontre Bobby et nous philosophons sur le monde des couleurs. Il dit qu'il est zoulou. « Regarde là-bas les brûlis de cannes, comme c'est beau, sourit-il. Mon père disait qu'il pouvait sentir la peur de la mort au tremblement des feuilles qui brûlent. » Cette mort, tout près de nous… Pendant le repas, quelques natifs me laissent entrevoir l'étendue de leur drame. Elle tient en quelques chiffres : plus de 70 % de la population vit avec moins de un dollar par jour, et un quart ne survit que grâce à l'aide internationale. Mais surtout le pays détient un record effrayant : près de 40 % de la population est atteinte du sida, le taux d'infection le plus important au monde! Je suis soudain pris de vertige en pensant aux milliers d'orphelins actuels et à venir. Car la lutte contre l'épidémie se borne à promouvoir la chasteté, et la polygamie...

Cette terrible réalité, portée au Swaziland à son paroxysme, va m'accompagner tout au long de ma marche en Afrique. À la croisée d'un chemin, aux portes du Mozambique, je rencontre deux fillettes d'une dizaine d'années qui s'amusent un moment avec ma poussette. Elles voudraient que je les adopte. Je pense à cette croyance fermement ancrée dans la culture locale, qui prétend que le viol d'une jeune vierge nettoierait les malades du sida... « Faites attention à vous, à votre corps », leur dis-je maladroitement. Elles, graves tout à coup : « Oui, on sait... Mais c'est difficile... très difficile. » Elles savent, en effet. Les enfants de la misère savent tout.

À la frontière du Mozambique, je change mes 2000 rands contre une énorme liasse de billets de meticals que je peine à rentrer dans mes poches. La plus haute devise est de 50 000 meticals, ce qui représente à peine 2 dollars. Sur la route en pente douce, quelques hommes s'activent dans des carrières de pierres plates, les rassemblant en piles qui seront vendues pour construire des murets. Des marchands vendent des sacs de charbon de bois. L'air est chargé de chaleur, sec et clair comme une source. Je m'arrête un instant en face de vastes tentes de coton, où du personnel de l'ONU poursuit une opération de déminage. La région est criblée de mines antipersonnel, m'expliquent-ils. Après l'indépendance, une guerre civile sanglante a déchiré le pays, faisant en seize ans près de un million de morts. Pour éviter d'être capturées, les armées ont truffé de mines les ponts, les points d'eau, et des villages entiers. Lorsque les cinq millions de réfugiés ont commencé à rentrer chez eux, le nombre d'accidents a grimpé en flèche. Plus de deux millions de mines resteraient enfouies dans les terres. Dans le village d'Impapoto où le chef traditionnel me prête pour la nuit une petite maison de paille, on continue de payer le prix de ce conflit : de fortes inondations ont déplacé les mines comme des pierres en eaux vives, personne n'est vraiment sûr de l'endroit où elles sont. L'agriculture reste très difficile, et on continue de trembler pour les femmes, les enfants chargés de ramasser le bois ou de puiser l'eau. Sida, guerre, climat… S'il est vrai que l'on gagne son ciel au nombre d'épreuves endurées, alors le paradis doit être peuplé de Mozambicains savourant l'éternité dans des rivières de miel. En ce début de novembre 2003, le chef s'inquiète surtout de la récolte future, la saison des pluies risquant d'aggraver la terrible épidémie de malaria qui tue, dans le pays, plus encore que le sida. Trois ans plus tôt, presque trois millions de cas avaient été recensés dans cette zone, la plus infestée de toute l'Afrique. Sans cesse je pense à me protéger contre les moustiques qui m'assaillent, mais parfois, la peur me mine.

Les habitants ont développé une culture essentiellement végétarienne et très savoureuse : en mangeant avec nos doigts du *chiguinha*, mélange de légumes et de manioc, le chef politique Pedro-Marinho Joaquin m'explique que pendant la guerre, les soldats ont tué la plupart des animaux sauvages et domestiques. La nourriture est rare, et il m'arrive souvent de ressentir la faim, que j'apprends moi-même à combattre avec les moyens du bord. Dans les zones reculées, les paysans me font tâter les poulets vivants qu'ils acceptent, contre quelques meticals, de me préparer. Je déguste mes premiers termites qu'on attrape lorsqu'ils sortent du nid et qu'on avale vivants, les ailes restant collées sur la bouche. Plus tard au Malawi, j'achète un grand sac de ces insectes frits que je grignote en marchant, comme les « pinottes » de mon pays. Mais la gestion de mes ressources reste une préoccupation constante. Que vais-je manger demain ? Où vais-je trouver à manger ? Et les jours suivants ?… Je m'adapte aux coutumes culinaires du pays. Pas de nourriture toute prête, que des aliments de base.

À l'approche d'une zone désertique, alors que je traverse un village minuscule, je remarque que toutes les huttes sont comiquement regroupées autour d'un magasin de paille portant une enseigne pompeuse accrochée sur le chaume avec trois bouts de ficelle : *Banque du Portugal.* À l'intérieur, le propriétaire, un petit homme raide comme un piquet au menton décidé, m'explique joyeusement que s'appelant lui-même Portugal, il a trouvé commercialement avisé de baptiser de son nom sa toute petite échoppe. M. Portugal a le sens du marketing ! Lorsque je lui expose mon itinéraire, il s'inquiète : la région est déserte et je risque de ne croiser personne, sur la piste cahoteuse, pendant plusieurs jours. Mme Portugal propose alors de me préparer un mets traditionnel, appelé *chicaba*, essentiel dans ces régions désertiques. Je la regarde pétrir un mélange de manioc, d'arachide et de sucre brun en une épaisse pâte brune qu'elle me tend enveloppée dans un linge. Autrefois, m'assure-elle, les travailleurs mozambicains voyageaient à pied, en se nourrissant de cette mixture, jusqu'aux mines de diamant d'Afrique du Sud ! Je quitte le village un peu circonspect, lesté de plusieurs kilos de cette pâte énergétique, espérant qu'elle me permettra de tenir pendant plus de cinq jours.

Plus je remonte vers le nord, plus la chaleur se fait écrasante, la température dépassant souvent 40°. Le soleil et l'humidité sont des ennemis implacables. Je puise dans ma réserve de *chicaba* en guettant le passage du moindre nuage, que j'essaie de suivre comme si je m'abritais sous un parasol, mais je n'y arrive pas. Mon rythme est lent. J'ai l'impression de manquer d'air, déployant une énergie phénoménale pour franchir à peine quelques centaines de mètres. Un jour, en fin d'après-midi, alors que le soleil est encore brûlant, je m'écroule. Là, sur le chemin, je m'étale de tout mon long, avalant la poussière en hoquetant de désespoir. C'est la première fois que je vis un pareil épuisement. Au cours de cette terrible journée, j'ai avalé douze litres d'eau, un record ! Vautré dans les broussailles, je râle, je gémis et je ris de moi-même… Je ne me reconnais plus, lorsqu'un homme en bicyclette s'arrête à côté de mon « cadavre ». « Qu'est-ce que tu fais là ? » Je larmoie : « Je suis en train de mourir… – Relève-toi ! » dit-il. Puis il sourit, et s'en va. Je me redresse après de longues minutes, me demandant si j'aurai le courage, finalement, de traverser l'Afrique…

Une vie suffirait-elle, d'ailleurs, pour m'adapter à ce climat ? Ou faut-il plonger ses racines bien plus loin dans la terre, là où les ancêtres ont vécu au premier jour du monde ? Les hommes que je croise appartiennent à l'Afrique, bien plus que je ne me sens appartenir aux terres occidentales. Sur le bord des chemins, les femmes ressemblent à des versions incarnées des herbes de la savane, splendides traits élancés chaloupant sur la terre rouge, des bidons sur la tête, leur fine taille gracieusement drapée de *capulanas* colorés. Je les dévore des yeux. Elles me croisent souplement, insouciantes et légères, affichant un sourire pour rien. Dans ces vallées de misère, je découvre que la vie s'écoule avec autant de joies simples que dans les avenues de Manhattan, comme si chacun, où qu'il soit, portait dans son être la même part de bonheur. Ses manifestations diffèrent, mais le sentiment est là, aussi puissant, universel.

En remontant la province d'Inhambane sous les cocotiers et les anarcadiers le long de plages sauvages, je souris à des jeunes vendant des fruits rouges dans de grandes jattes posées au bord du chemin. Plus loin, les chaloupes à gréement latin reviennent de la pêche et aussitôt les femmes et les enfants accourent pour ramener vers la plage le butin des pêcheurs. Accostant sur cette rive au cours de son voyage vers le comptoir des Indes, Vasco de Gama avait été séduit par ses habitants au point de la baptiser « la terre des Bonnes Gens ». En contemplant la foule d'enfants joyeux dansant autour de ma poussette, je me dis que ça leur va bien… J'expérimente un petit jeu depuis plusieurs mois : leur façon de s'exclamer me comble en effet de délices. Quand j'arrive quelque part et raconte mon périple, partout les gens s'exclament : « Waouh, c'est loin ! » Les Français prononcent « Oh ! lalaaaa » en roulant des yeux, avec un *a* ouvert et prolongé. Les Zoulous, eux, poussent un cri rauque, une sorte de « rhôôôôô yhôôôô » intense et guttural. Les Kabyles claquent leur langue sur le palais, mais les Mozambicains… Ce peuple possède sans conteste la forme d'expression la plus originale : ils poussent un petit cri très aigu répété plusieurs fois, un « hêêê, hêêê, hîîî ! » sonnant comme un sifflet, ou comme un cri de canard. Et je me perds en rêveries… Ces hommes peuvent parler à la terre : ils en connaissent le rire. La chanson, aussi. Je suis saisi, un soir, par la musique envoûtante qui s'élève au bord du chemin. Un homme est assis là, caressant un étrange instrument à cinq cordes bricolé d'un bout de bois et d'une boîte métallique semblable à un gallon de sirop d'érable. Sur ce bendir artisanal, il joue divinement une douce mélodie dont les notes me pénètrent en se mêlant à la poussière de la route.

Je crois que c'est ici, alors que je marche vers le Malawi dans la plaine de Vanduzi, à l'intérieur des terres, que s'ancre à jamais mon amour pour l'Afrique. Le raffinement, la joie, les naïvetés de ce peuple préservé des outrances du progrès font apparaître l'essence de la nature humaine. Chaque village que je traverse observe le même rituel, empreint de délicatesse. Après de longues présentations, la femme du chef verse de l'eau dans une grande bassine en disant : « Premièrement, vous allez prendre un bain. » Accroupi devant le baquet installé derrière un paravent de paille, je demande une tasse pour pouvoir me rincer. La jeune femme qui m'assiste trouve ma requête tellement incongrue qu'elle éclate de rire et, levant les yeux au ciel avec un gracieux mouvement du poignet, elle se gausse : « Vraiment ! Au Canada, vous vous lavez avec une tasse, vous... » Dans ce village pauvre, le chef m'explique fièrement que ses cinq femmes lui ont donné soixante-douze enfants. Tous heureux, jure-t-il. Mais je ne suis pas certain qu'ils soient tous vivants. Ces discussions sans fin avec l'autorité du lieu font partie du rituel, et je m'y astreins avec curiosité, et parfois, je l'avoue, un soupçon d'agacement. Notre rapport au temps, produit de nos contextes économiques et culturels respectifs, semble nous voir évoluer dans deux univers parallèles. Les longues heures passées à méditer au pied d'un arbre, à attendre devant une échoppe ou à discuter avec les visiteurs, temps « perdu » dans ma culture baignée de capitalisme, semblent correspondre ici à des fonctions culturelles et sociales précises. Le soleil ou le chant du coq déterminent l'ordre des tâches, entre lesquelles le temps s'étire et se mélange entre passé et présent, réalité et mythe. Dans ces espaces flous se déploie une spiritualité intense, que je tente d'appréhender sans vraiment y parvenir, comme si cette apparente nonchalance répondait au besoin d'intégrer au réel une dimension métaphysique. Toutes sortes de croyances hantent ces espaces intemporels, comme celle de ces paysans malawites me montrant, depuis Blantyre, les pics du mont Mulanje, où vivent les esprits. D'autres pensent que les esprits des défunts continuent de voleter autour des huttes de paille. D'autres encore, dans le sud de l'Afrique, croient que de petits bonshommes se promènent dans les buissons, alors ils s'endorment sur des lits surélevés pour éviter que les lutins n'y grimpent.

Dans ces provinces reculées, les brutales incursions de notre culture occidentale font évoluer les croyances, dans une direction qu'il est impossible de prévoir. « On est à la télévision, là », s'exclame un jour d'un ton sérieux un jeune paysan auquel je demande mon chemin. « Oh ! oui ! » se réjouissent ses copains avec de larges sourires. « Il est en train de faire une histoire ! » Dans leur esprit, un Blanc aventurier passait nécessairement à la télévision, en ce moment même, en temps réel, comme si le cinéma était un gros œil pouvant se braquer sur n'importe quel point de la planète. Le soldat Rambo, par exemple, a semé dans la savane une étonnante confusion. C'est sur la côte du Mozambique que j'entends parler de lui pour la première fois. D'étranges bruits de combats s'échappent d'une hutte où s'entassent une quinzaine de jeunes. À l'extérieur, une batterie alimente une télévision hors d'âge reliée à un vieux lecteur VHS. À la porte, le propriétaire ramasse quelques billets pour prix d'entrée du « cinéma ». La scène se répète à l'identique dans plusieurs villages. Partout on regarde Rambo, encore et encore, une boîte de cassettes a dû parvenir dans le pays, donnée par Dieu sait qui, un distributeur, une ONG ? Comme il n'y a rien d'autre, la population vit au rythme des combats de Sylvester Stallone. Un jour, alors que je marche dans la touffeur tropicale de la province de Tete, au nord du Mozambique, je rencontre un jeune homme qui décide de m'accompagner pour un bout de chemin. Après quelques propos sans importance, Kennedi Rodriguez me demande soudain : « Et Rambo, comment il va ? Est-ce qu'il est toujours vivant ? » Un peu interloqué, je lui réponds que bien sûr, Sylvester Stallone est en vie et se porte très bien. Kennedi poursuit, les yeux brillants : « Rambo risque sa vie contre les méchants. Il est formidable, j'admire son courage. » Comprenant le quiproquo, j'essaye de lui expliquer, en portugais, que c'est une histoire inventée : il y a une équipe de production avec une caméra, des acteurs, on répand du faux sang et tout cela est filmé…

– Mais les morts ? demande-t-il, l'air suspicieux. Ceux que Rambo a tués, pourquoi ont-ils voulu mourir ?

– Mais ils font semblant, Kennedi ! On étale du ketchup pour imiter le sang !

Nous marchons un instant en silence ; je vois qu'il a du mal à comprendre. Puis il répète :

– Et Rambo, comment il va ?

– Kennedi… C'est un homme ordinaire qui s'appelle Sylvester Stallone. Il vit dans une grande ville et gagne beaucoup d'argent. L'armée américaine leur prête les engins que tu vois dans le film.

Nous croisons une carcasse de char abandonnée sur le bord du chemin.

« Ton père a fait la guerre ? Il a vécu des choses bien plus terribles que Rambo ! »

Kennedi fait mine qu'il comprend. Nous nous séparons au prochain village, encerclé de zones de déminage protégées par l'ONU. Il me serre la main en disant : « Rambo, tout de même… J'espère que rien ne va lui arriver ! »

DES CONTRÉES INDOMPTÉES

10 avril 2004 – 14 juillet 2004

→ TANZANIE → KENYA →

Ding! Ding! Ding! Un son clair me tire de la tente. Sur la place du village, un jeune homme frappe une tige de fer contre la jante d'une roue de camion suspendue à un arbre. Un coq se met à chanter; le soleil darde ses rayons à travers les feuillages sur l'argile desséchée des montagnes. L'heure de reprendre la route est déjà passée, mais les habitants s'attardent autour de ma tente, insistant pour que je prolonge mon séjour. Attiré la veille par une lourde colonne de poussière s'élevant des broussailles, je les ai trouvés battant les fèves pour les débarrasser de leurs coques à grands coups de bâton. Après m'avoir offert un «jus de bambou», sorte de bière locale, un jeune meunier m'invite à partager son repas d'*ugari*, cette pâte blanche de manioc qu'on mange avec les doigts. Les racines sont pelées, lavées, râpées, pressées, puis leurs copeaux sont séchés au soleil avant d'être pilonnés pour en faire une farine. Sur cette route de montagne isolée à l'intérieur des terres tanzaniennes, ma visite improbable représente un réel divertissement. Bientôt les voisins nous rejoignent pour entendre mon histoire. «On m'a assuré, leur dis-je, que la route vers le nord passant par Dodoma serait moins périlleuse que celle allant vers l'est à Dar es Salam, infestée d'animaux sauvages.» Aussitôt les commentaires se bousculent. «Il y a quand même des éléphants qui traversent la route...» «Oui, mais c'est rare...» «Les hyènes ne sortent que la nuit...» «La semaine dernière, Abu a vu un guépard...» Je saisis quelques bribes de leur conversation, sentant poindre l'inquiétude.

Ces derniers jours, les difficultés de cette piste escarpée et sinueuse m'ont souvent fait regretter l'asphalte de la route. Et si j'avais fait le mauvais choix ? Attrapant avec un sourire une boule de manioc, mon jeune voisin me prévient que je pourrais même, le lendemain, rencontrer des lions. « Tu vas traverser 20 kilomètres de brousse sans population. Mais en général, les lions chassent la nuit… »

Je blêmis.

« Sans blague ? Qu'est-ce que je dois faire si j'en vois ?

– Surtout ne pas courir. Tu n'as qu'à marcher, tu peux même les regarder. Ne panique pas et ils te laisseront tranquille. »

Ce matin, je pars sans déjeuner, le corps affaibli mais l'esprit aux aguets. L'air est sec et pur, les herbes et arbustes auront juste le temps de dégager leur semence avant de mourir un peu dans la saison sèche. Depuis la route déserte, j'aperçois au loin quelques chèvres et leurs tranquilles pasteurs des tribus Wagogo, Wahehe et Walangi, reconnaissables aux couleurs de leurs tenues.

Après une barrière de contrôle policier, le chemin rétrécit et devient sinueux. Les roues de ma poussette s'enlisent dans des ornières de sable mou et je dois redoubler d'efforts pour faire avancer ma cargaison alourdie d'une douzaine de litres d'eau. Le moindre souffle dans les branchages me fait sursauter. La gorge serrée, je guette les mouvements à travers les buissons et observe la piste à la recherche de traces laissées par quelque fauve, les mains crispées sur les armes que je tiens dans chaque main : de petites bombes aérosol bourrées de piment de Cayenne. Qu'ils viennent ! Je n'ai pas peur. JE N'AI PAS PEUR. Si je me le répète tant, est-ce le signe que j'ai peur ? Le vent souffle de face et souvent je me retourne, surveillant mes arrières, craignant que ma forte odeur de viande mal lavée attire un félin dans mon dos. Je me souviens qu'avant mon départ du Canada, je me disais: «Je préfère me faire manger par des lions en Afrique que par la société. Au moins, j'aurai servi la nature.» Quelle réflexion ridicule! Au bout de quelques heures, en croisant une famille de babouins s'épouillant tranquillement sur la route, je me détends un peu. Lorsque enfin j'atteins la barrière de police qui clôt cette zone à risque, un officier s'écrie: «C'est dangereux d'où vous venez! Vous avez une arme, au moins?» Soulagé, heureux d'être toujours vivant et quelque peu honteux de mon accès de trouille, je fanfaronne crânement: «Mais vous n'y pensez pas? Je marche pour la paix!»

C'est du moins ce dont je me persuade, la plupart du temps. Mais dans l'épuisement et la solitude des semaines qui suivent, je ressens une telle lassitude que je ne sais plus très bien ce qui me pousse à avancer. Je progresse sur une route difficile, encombrée de rochers, dans le vacarme incessant des 4 × 4 de luxe transportant des montagnes de touristes vers les réserves de Ngorongoro et Serengeti. Chacun de leur passage soulève des nuages de poussière qui m'aveuglent longtemps, m'empêchant de respirer. Sur le bord de la route, de jeunes Massaï en tenue rituelle de circoncision, le visage peint et vêtus de noir, prennent la pose contre une poignée de shillings pour de riches Blancs déguisés en tenues de safari. Ils utiliseront l'argent pour payer leurs fournitures scolaires, disent-ils. À mes saluts, les passants répondent: *«Give me money, give me money...»*, comme si ces quelques mots étaient les seuls qui vaillent d'être prononcés en anglais. Je me sens seul, épuisé, et j'ai faim. Je monte sur une route en faux plat. Monter, monter... *«Give me money, give me money...»* Patience, patience... Je me sens sale, amaigri, et terriblement agressif. Je me fâche pour le prix de mon repas, pour le prix de l'eau, il me semble que je ne suis pas à ma place dans ce pays et que je devrais partir. Un soir, au bord de l'épuisement, je demande mon chemin à des villageois s'en revenant des champs. L'un d'eux me couve d'un regard inquiet. « Tu n'es pas en état de continuer, dit-il, viens chez moi. Je t'invite pour la nuit. » Mais je le regarde à peine, répète que je dois partir, que je dois sortir d'ici, je suis incohérent, je me suis ridiculisé et je vois que ça parle, entre ces braves gens, de cet enragé de *mzungu* aux yeux exorbités, mais dont les jambes vacillent. Soudain l'homme hausse la voix : « Ça suffit ! Tu restes. » Et tandis que j'écoute enfin cet étranger s'adresser à moi comme s'il n'ignorait rien de ma minable situation, je fonds en pleurs. J'accepte de le suivre jusqu'à sa modeste demeure où nous partageons, en famille, un maigre repas de riz, de tomates et d'oignons. Je chante et m'amuse avec les enfants à la lueur d'une chandelle, puis ensemble nous sortons admirer une éclipse de lune. En contemplant la voûte étoilée, la pénible route de gravier et de sable me revient en mémoire. Cette route bordée d'acacias et d'herbes rudes que broutent quelques chèvres étiques. Cette route où les paysans ont reçu avec tant de chaleur le *mzungu* que je suis. Des gens simples qui savent que les objets, même les plus nécessaires, sont des fardeaux qui pèsent sur le dos d'une vie. Des gens limpides comme des cristaux que la moindre imperfection briserait en morceaux. Leur simplicité, leur amour me nettoient comme un feu brûlant le péché. J'aimerais apprendre le secret de leur richesse... Je les quitte le lendemain avec le sentiment d'abandonner mes frères.

Quelques jours plus tard, je débouche de la route en zigzag dans le « berceau de l'humanité », la grande vallée du Rift. Les couleurs sont si franches qu'elles paraissent avoir été peintes hier seulement de la main même du créateur. Sur ma gauche au-delà du ravin, le ciel d'un bleu profond se détache d'une steppe verte et riche, encore gorgée de pluie. De petites fleurs violettes et jaunes éclatent sur le chemin comme autant de pierres précieuses sertissant le paradis. Mes pensées s'envolent vers ce qu'en ont fait les hommes. Le chemin que je parcours est aussi la route originale qui relie Cape Town, en Afrique du Sud, et Le Caire, en Égypte. Celle qu'ont empruntée les commerçants d'esclaves. J'imagine les privations, les souffrances, la misère qu'ont endurées ces millions d'hommes, de femmes et d'enfants, raflés par leurs rivaux, conduits par des marchands arabes avant d'être entassés dans les bateaux qui les emmèneraient par-delà l'océan sur un autre continent, sur ma terre, chez moi… Est-ce de ce passé indigne que l'Occident cherche aujourd'hui à se racheter en dispensant son aide? *« Give me money, give me money… »* L'écho de ces trois mots résonne dans ma tête. Dans les zones touristiques, je ne vois pas de liberté. Ailleurs, même si la vie est dure, les gens s'organisent. Mais là où l'aide arrive se développent corruption, bassesse et culture de la mendicité. Quelques semaines plus tôt, tout près de Dodoma, j'ai rencontré des Canadiens installés dans le pays depuis près de vingt ans. Ana et Peter consacrent leur vie à creuser dans la savane des puits actionnés par des moulins à vent. Ana a aussi construit une école. Récemment, me raconte-t-elle, il y a eu une sécheresse. « Je savais que l'aide alimentaire arrivait, mais des dirigeants corrompus du gouvernement local m'ont demandé le double du prix convenu. J'ai payé parce que je n'avais pas le choix, les gens affamés frappaient à ma porte. J'ai même accepté de leur louer à bon marché le camion de la mission. » Ainsi elle apprendra que les autres sacs de farine avaient été livrés à de riches familles proches du pouvoir. Rien pour ceux qui avaient faim. Pauvre, forte, si généreuse Ana… Les paysans sauront-ils seulement se servir de ses moulins? Je me sens déchiré entre ces deux mondes, écrasé par la certitude nouvelle que rien n'est simple. Je m'aveugle à force de ne pas voir de solution.

Je marche vers la frontière kenyane dans un aride paysage de savane. Le soleil m'écrase et je n'ai plus d'eau : j'ai encore sous-estimé mes réserves. Je me sens mal ; aucun des véhicules auxquels je fais signe ne s'arrête. La route de terre rouge, en mauvais état, serpente dans un paysage de douces collines bordées de forêts d'acacias et de quelques champs de blé. J'aperçois soudain un groupe d'hommes, minces et beaux, vêtus de fins drapés à carreaux rouge et bleu. Ils sont apprêtés de colliers et de lourds bracelets qui encerclent leurs chevilles et leurs avant-bras, coiffés de fines tresses décorées de petites pièces dorées. Des lobes de leurs oreilles, percés et agrandis, pendent de lourdes boucles de perles en plastique.

Ce sont des Massaï. Notre rencontre dans ce lieu isolé semble les surprendre autant que moi, et ils m'encerclent en souriant, tâtant mon visage, mes bras, mes jambes… « Tu es poilu comme un lion ! » rient-ils, s'amusant à comparer l'ébène de leurs fins membres imberbes avec ma pâleur touffue, retenant la poussière. Ils m'offrent à boire, et après une courte marche, j'arrive dans un village de forme circulaire, protégé par une clôture de branchages. Les maisons aux murs de boue et de bouse de vache sont recouvertes d'un épais toit de paille. On me présente le chef du village. Nous essayons de communiquer en quelques mots de swahili et en traçant des dessins sur le sable. L'échange est drôle et sympathique, mais voué à l'échec… Le chef, finalement, m'entraîne chez le professeur d'anglais du village, qui m'explique qu'on veut me faire cadeau d'une chèvre vivante ou cuite en signe de bienvenue. J'apprécie cette marque de générosité que je décline le plus poliment du monde, ne pouvant me permettre de transporter, sur ma petite poussette, un animal entier. À la nuit tombée, il me fait visiter son domaine, où chèvres et bovins sont prudemment reclus dans leurs corrals, à l'abri des prédateurs. Puis je partage l'*ugari* avec ce peuple de bergers semi-nomades… Ce soir-là, le jeune Joseph me raconte qu'il a tué deux lions, avec ses deux lances et son couteau, ce qui lui confère, dans la communauté, le statut de « brave »… Tandis que mon interprète détaille les rites initiatiques qui accompagnent le passage à l'âge adulte, je me souviens d'avoir croisé ces jeunes qui semblaient sortir de leur cérémonie de circoncision – au cours de laquelle les garçons deviennent *morane*, de jeunes guerriers aptes à porter le long couteau à double tranchant et à pratiquer l'art du combat. Les touristes les prenaient en photo. Son visage se rembrunit, et il baisse la voix. « Ils utilisent l'argent pour payer les fournitures scolaires. Notre chef est réticent à l'éducation moderne… On leur promet du travail, mais il n'y a pas de travail. Beaucoup se retrouvent dans les bidonvilles des grandes villes… » Le lendemain matin, alors que les enfants m'aident à replier ma tente, le chef me salue d'une poignée de main. Je sens la dureté de la corne au contact de sa paume, et nous nous séparons. Dans le tintement des cloches des troupeaux balayant la vallée, je me demande si ce peuple parviendra à conserver intactes toutes ses traditions.

Le jour tombe sans que j'aie croisé la moindre trace humaine. Je suis inquiet. Un homme s'est arrêté, puis est reparti après m'avoir dit : « Il n'y a personne ici, c'est dangereux ! » Une gazelle m'observe, curieuse, préparer ma tente et mes bombes de piment de Cayenne, lorsque je crois distinguer au loin une sorte de tour longiligne. Je remballe rapidement mes affaires et arrive au pied d'un pylône de téléphonie mobile, gardé par un guerrier Massaï. Kelembu – c'est son nom – est apprêté pour le combat, portant lance, bracelets et collier de perles rouges. Les grands lobes de ses oreilles sont accrochés au-dessus des pavillons. Il m'explique que le chef de sa tribu est payé pour garder le pylône. Il a bâti au pied de l'engin une sorte de forteresse en buissons d'acacias pour se protéger des lions. Nous nous y installons pour partager mon repas de spaghettis et de fèves au lard, chauffé sur un feu de pierres. Kelembu m'apprend que les Massaï ne mangent que ce qu'ils produisent, et que le poisson les écœure. En revanche, le lait et le sang leur sont un délice…

Il s'endort avant moi, penché sur son livre d'école.

LES ENFANTS D'ABYSSINIE

15 juillet 2004 – 2 octobre 2004

→ **ÉTHIOPIE** →

Après une année de marche au long de ses chemins, parmi ses hommes, je croyais connaître l'Afrique. J'avais tort. L'immense Éthiopie, l'Éthiopie farouche, souveraine, éternelle, a fait voler tous mes repères en éclats. Dans ce pays à part, berceau d'une très ancienne civilisation, entre les églises troglodytes, les obélisques d'Axoum et les palais de l'ancien royaume de Gondar, j'ai découvert un peuple à la personnalité si marquée que je n'ai pas su, souvent, pénétrer ses mystères. Jamais, même au plus profond des déserts, je n'ai ressenti une solitude comparable à celle qui m'a parfois enveloppé dans ce pays complexe, peuplé d'une mosaïque de quatre-vingts ethnies, soudées pourtant par un puissant sentiment national empreint d'une grande fierté. Jamais l'Éthiopie n'a été colonisée. Elle s'est battue pendant plus de trois mille ans pour se garder intacte, vierge de tout métissage. Et pour la première fois, j'ai réellement ressenti la douleur de rester, au milieu de mes frères… « l'étranger ».

Je franchis la frontière au mois de juillet 2004. Sur le bord du chemin, entre les huttes éparses, quelques femmes accompagnent des enfants s'amusant à tirer à l'arc sur de grosses dindes sauvages dont les reflets bleus luisent au travers des buissons d'acacias. De loin en loin je perçois l'écho des haut-parleurs de quelque autobus de passage qui diffusent une musique rythmée de voix, de mains qui frappent et de tam-tam. Je me sens dans l'âme du monde. Il me reste peu de nourriture – quatre petits pains, deux œufs durs, deux abricots secs et un reste de beurre d'arachide. J'ai suffisamment d'eau. C'est peu, mais je suis habitué, mon système compensera en puisant dans ses réserves. J'atteins la communauté de Chumba au coucher du soleil, mais je comprends rapidement que je ne suis pas le bienvenu. Personne ne semble saisir mes quelques mots d'amharique… Peut-être parlent-ils un autre dialecte local? Je poursuis ma route dans la nuit noire. Lorsqu'une camionnette s'arrête, son chauffeur me prend en pitié et m'entraîne vers son village où l'on célèbre la fête nationale Borana. Nous mangeons dans une sombre maison le plat traditionnel de *njira*, puis partageons une bière locale au rythme des tam-tam et des claquements de mains… Les chants *a cappella* me plongent dans une sorte de transe, comme si j'entendais soudain la racine du blues de John Lee Hooker. Mon esprit s'évade en notes occidentales mêlées au rythme sec des tambours. Une jeune fille m'apporte une assiette de viande de chèvre cuisinée au feu de bois… Ce soir je me sens bien, et m'endors sous la tente au son de leurs traditions.

Je me réveille à l'aube, et comme la veille au soir, tout le village se rassemble pour observer ma tente. C'est un modèle igloo qui les impressionne formidablement: lorsqu'elle s'est gonflée hier, des «oh!» éberlués se sont élevés dans la nuit, comme si la magie avait fait irruption dans le village. Je les laisse manipuler précautionneusement les arches qui s'enclenchent pendant que la maîtresse de maison prépare le café… Pour la première fois, je découvre cette «cérémonie» fondamentale dans la culture éthiopienne, pays d'origine de la fève. Après avoir disposé sur le sol un bouquet d'herbes et de fleurs et fait brûler de l'encens pour purifier l'air, elle lave les grains non torréfiés, avant de les faire griller doucement sur la braise dans une soucoupe de tôle, les retournant délicatement à l'aide d'une fine tige de métal. La torréfaction achevée, les grains brunis sont moulus au pilon avant d'être versés dans une cafetière d'argile, et le breuvage porté à ébullition. Pendant cette longue préparation, chacun discute en riant.

Cette soirée chaleureuse de douce communion sera l'une des seules que je connaîtrai en Éthiopie. À mesure que je progresse sur la route de Yabelo dans des paysages verdoyants, la population se densifie et les portes se ferment devant cet « étranger » qui demande l'aumône à ceux qui n'ont rien à donner. Un matin, quittant le petit hôtel à un dollar où j'ai passé la nuit, je me retrouve subitement entouré d'une foule de jeunes qui se bousculent autour de ma poussette, hurlant des « you-you-you » perçants. Ils sont une cinquantaine, peut-être davantage, arrivant de partout, dansant en reculant autour de mon chariot de façon hostile, provocante. Aucune de mes tentatives pour établir un contact avec eux ne fonctionne… J'essaie de les amadouer en secouant la main, rien n'y fait, nous ne nous comprenons pas, je me sens oppressé et crains de m'arrêter. Dans une excitation grandissante, ils m'emboîtent le pas, observant et imitant le moindre de mes gestes. Ces quelques heures me paraissent une éternité, plus je tente de les ignorer, plus ils s'activent pour attirer mon attention, « you-you-you ! », je doute de mes capacités à défendre la cause des enfants, je vais craquer, ils vont me faire craquer, je le sens… Vers midi, à l'approche d'une réserve naturelle, ils finissent par se disperser. Je m'assieds sur une pierre, bouleversé. Je me sens agressé par cette constante présence humaine, je voudrais m'échapper, me retirer avec Luce. Nous laisser pousser aux vents légers des bonnes mers et de la bonne vie. Être simplement ensemble. Oui, je pourrais rentrer… Les jours suivants seront les plus infernaux de toute ma marche. Je traverse villages et marchés populeux aux sons des « you-you-you » hurlés sur mon passage, « ne prends pas de photos », « on n'aime pas les gens comme toi », les bribes glanées dans le tumulte de la foule me laissent désemparé, au point que je me demande si ces comportements ne sont pas, après tout, le reflet de moi-même. La vie est dure, en Éthiopie. Une terrible misère s'accroche aux villages, et je suis là qui passe en jetant des saluts avec ma poussette futuriste, photographiant la faim. Je suis pauvre moi-même, je n'ai rien, mais qu'en savent ces gens-là ? La pitié est odieuse à ce peuple fier. Un soir, trois jeunes irrités par ma présence en ville viennent me rencontrer à l'hôtel. « Qu'est-ce que tu fais là ? C'est quoi ton problème ? » Peu à peu les esprits s'apaisent, et nous abordons le délicat sujet de la misère. Dans ce pays de hauts plateaux, m'expliquent-ils, les fréquentes sécheresses apportent leur lot de souffrances, chacun vivant au jour le jour avec le peu de nourriture restant. La seule richesse des familles, ce sont les enfants… Qui meurent en proportions effrayantes, de maladies ou de malnutrition. Ceux qui font des études s'en vont pour ne plus revenir, quand la majorité s'entasse dans les bidonvilles des grandes villes, travaillant pour survivre, et pour quelques cents. Lorsqu'ils me quittent enfin, je m'allonge dans l'obscurité, effondré, au bord de la dépression. Je ne peux rien pour eux, me dis-je. Rien qui ait le moindre sens. Je me réveille en pleine nuit, obsédé par le désir de rentrer chez moi au plus vite. Je passe des heures à m'inventer des justifications : je n'ai plus de matériel, plus d'argent. Si je rentrais un mois ou deux, je pourrais prendre contact avec des institutions et apporter une aide concrète aux enfants que je rencontrerais… Le lendemain, j'envoie à Luce un long message pour l'informer de ma décision. Je vais rentrer. J'ai besoin de repos. Sa réponse me parvient une semaine plus tard, alors que je fais halte dans la communauté rastafari de Melka Uda, une terre offerte il y a cinquante ans par l'empereur Haïlé Sélassié à la diaspora noire, dans la vallée de Goba. « Je t'aime, m'écrit-elle. Reviens si tu le souhaites, je serai là. » Mais les phrases qui suivent explosent sur l'écran : « Surtout ne prends pas de décision hâtive. Car si tu rentres, tes quatre années seront perdues. Ce sera la fin de ton rêve, il n'y aura pas de retour possible. »

Les jours suivants passent dans une certaine confusion. Je m'efforce de porter un regard d'enfant sur le monde qui m'entoure, libre de tout jugement. Dans la végétation exubérante entrecoupée de champs plats, j'observe la vie des hommes labourant la terre grasse. Attelés aux charrues, ployant sous d'énormes charges, les animaux sont constamment maltraités, poussés avec rage jusqu'au bout de leurs forces... Je vois un paysan battre un âne à en briser son bâton. D'autres passer sans la voir devant une pauvre bête agonisant sur le chemin, le sabot arraché. Quelles violences se cachent dans ces huttes, pour se déchaîner avec une telle colère contre ces précieux compagnons de misère ? La vie est dure, c'est vrai. Ces mots prennent ici tout leur sens.

Juste après le village dénommé Chuco, je croise une foule de gens chargés de bidons et de bouteilles de plastique remplis d'un liquide doré. L'organisation US Aid vient de distribuer un stock d'huile de cuisine. Comme souvent, les plus faibles reviennent les mains vides. Contemplant la terre riche autour de moi, j'ai du mal à comprendre. Pourquoi tant de pauvreté ? Les terres d'Éthiopie appartiennent à l'État. Ceux qui les travaillent peuvent en être chassés, ils ne possèdent rien. Souvent, l'érosion les arrache, le Nil emportant le limon rouge des plateaux jusqu'à la lointaine ville de Khartoum, au Soudan. Ils perdent leur terre, tout le temps, tout le temps... Soudain je perçois cette violence avec un regard neuf, comme un déploiement d'énergie, une manifestation de forces. Un volcan explose, c'est dans sa nature. Il se libère de ce qui l'obstrue. La nature de l'homme est-elle plus complexe ? Je n'en suis pas si sûr...

J'arrive dans la capitale au soir du 18 août, étonnante juxtaposition d'architecture futuriste et de misère. Je suis accueilli par Daniel, un négociant en café rencontré sur la route quelques semaines plus tôt. Je ne suis pas sûr qu'il soit négociant – il semble plutôt vivre d'un trafic mystérieux impliquant des permis de camionnage. Qu'importe, il est ici mon ange! De l'hôtel bon marché que Daniel m'a réservé, il m'entraîne dans son arrière-cour célébrer la fête du Buhe, celle de la Transfiguration du Christ selon le calendrier orthodoxe éthiopien. Ça sent le bœuf qui mijote, les herbes et l'encens, et nous chantons une partie de la nuit en frappant dans nos mains. Soudain, Daniel me demande avec insistance si j'ai des relations intimes avec les Éthiopiennes. «Non, je te le répète! Pourquoi me demandes-tu cela?» J'apprends alors, abasourdi, que les clins d'œil sont ici la marque d'une invitation sexuelle. Or j'en distribue à tout-va depuis mon arrivée, dans l'espoir d'amadouer les gens, hommes, femmes, enfants… J'en ai même fait aux ânes! J'ai souvent dû passer pour un horrible pervers.

Le lendemain matin, je rattrape le retard pris avec mon journal quand trois policiers frappent à ma porte et m'ordonnent de les suivre. Daniel est avec eux. Dans un bureau impersonnel du poste de police, après un interrogatoire agressif sur les motifs de ma présence dans le pays, je suis placé en état d'arrestation. Problème d'argent, de racisme?… Je ne le saurai jamais: je suis sauvé par la télévision! Quelques jours plus tôt, un homme accompagné d'une jeune femme somptueuse avait arrêté son 4 × 4 à côté de ma poussette. Il s'agissait du présentateur de talk-show le plus célèbre du pays. «Venez dans mon émission», avait-il proposé en me tendant sa carte. Lorsque la star fait irruption dans le poste miteux, les officiers tombent en pâmoison. Les képis se trémoussent, et le chef me donne des coups de coude en riant comme s'il venait de faire une blague à un bon vieux copain, puis soudain il se retourne et se met à hurler en amharique sur le pauvre Daniel, «crétin», «âne bâté» qui n'a pas prévenu que j'étais un hôte de marque! Il menace de le jeter en prison, puis nous laisse partir avec la promesse que nous reviendrons le lendemain le blanchir de toute faute auprès de son supérieur.

Je quitte le poste avec le sentiment troublant de m'enfuir d'un mauvais film. Ce doit être le propre de l'arbitraire : sans « raison » apparente, tout paraît surréel.

Je prends lentement la route du nord-ouest, laissant derrière moi la Corne de l'Afrique. Dans un mois, j'arriverai à la frontière du Soudan. Les habitants que je croise me semblent plus accueillants – en tout cas, je ne lis plus de regards d'hostilité. Les hommes me saluent en soulevant leur chapeau ; les enfants prennent plaisir à pousser mon chariot. Un jeune en route pour le marché se vante fièrement de son bœuf bien en chair, il en obtiendra au moins 3000 birrs, pense-t-il. D'autres, la charrue sur l'épaule, s'en retournent au champ, une feuille d'eucalyptus roulée dans la narine pour se garder de la grippe. Et puis j'ai enfin – malgré moi ! – trouvé une astuce pour déclencher des rires. La rude nourriture éthiopienne met au défi mon système digestif, produisant en moi des gaz enflammés propres à effrayer un dragon. Les canons éthiopiens de la bienséance ne tolèrent pas qu'on se libère en public, mais comme je marche constamment entouré d'enfants, il m'arrive de laisser échapper quelques bruits insolites. L'effet est immédiat ! Tous rient aux éclats en criant dans leur langue : « Il a pété ! Il a pété ! », et il me semble que ces accents joyeux rebondissent en écho à travers les montagnes. Je me sens gêné, et heureux à la fois…

Je descends vers le Nil Bleu sur une route toute neuve, construite par les Japonais. Les maçons ont de la chance, m'explique-t-on : les Japonais paient 25 birrs (3,50 dollars) par jour. Les Chinois, eux, n'en offrent que 15. Je croise des groupes de pèlerins s'en revenant de la vallée chargés de bouteilles remplies de l'eau sacrée. Un commerçant ambulant m'offre de m'héberger pour la nuit, sur l'autre versant de la gorge, en jetant un regard soupçonneux au jeune homme qui me suit depuis quelques jours et dont je n'arrive pas à me débarrasser. Abebaw, libéré de sa cargaison, m'invite à boire une bière locale de maïs au Tella House, un petit bar dont l'enseigne, un fragile bout de papier, est simplement enroulée autour d'un grand bâton planté devant la porte. Nous entrons dans une petite case aux murs de terre séchée mêlée de brins de paille. Une dizaine de paysans discutent calmement, assis le long des murs sur des bancs de boue durcie recouverts de peaux de chèvre. Une lampe à huile bricolée avec une bouteille de bière éclaire à peine les visages, que je devine marqués, les yeux rouges et cernés. Pendant qu'une dame me sert de ce précieux *tella*, je distingue sur les murs des affiches de Marie portant l'Enfant Jésus. Nous discutons de choses banales en anglais et en amharique, puis soudain Abebaw baisse la voix, et me conseille de me méfier de ce jeune homme qui m'accompagne. « C'est un voleur. » Tous le dévisagent pendant qu'il bredouille ses dénégations. Me tournant vers lui, je dis calmement : « Je sais ce que tu es. Tu voles et tu mens pour avoir de l'argent. C'est un choix que tu as fait pour vivre, et je l'accepte. Mais je pense que tu peux faire mieux. » Il se met à pleurer. Nous nous séparons sous la pluie ; il repart sans me voler.

Je descends vers le Soudan apaisé, en paix avec ce peuple. Les montagnes sont tapissées de riantes petites fleurs jaunes qui me rappellent la capitale Addis-Abeba, dont le nom signifie « fleur nouvelle ». Je prends ce signe comme un « au revoir » de ce pays dur et fier, qui a traversé seul cinq mille ans d'histoire, sans marcheur ni personne pour lui venir en aide…

Dans le ciel, des groupes de nuages s'assemblent puis se détachent, comme s'ils hésitaient sur ce qu'il convient de faire : former un cumulonimbus, ou bien se disperser. Cela indique la fin du territoire des pluies. La route devient moins populeuse et les feuillages se meurent dans des bouquets d'épineux. Comme au Mexique, au Pérou, comme sous les soleils du Chili et du Mozambique, j'entends s'élever de la terre le tendre roucoulement aigu des colombes, un souffle de chaleur coulant sur les épines…

Le désert arrive.

UN MONDE SANS FEMMES

3 octobre 2004 – 29 décembre 2004

→ SOUDAN →

J'avais imaginé un cadre plus symbolique que cette petite hutte jetée sur la terre rouge, sur la rive est de la rivière. Les agents de l'immigration soudanais prennent mes 5000 dinars en échange d'un papier rédigé en arabe. Je pénètre, ce 12 octobre 2004, en terre musulmane. Dans les champs de sésame, les paysans en djellabas conduisent des tracteurs, signe tangible d'aisance qui contraste avec l'outillage traditionnel de l'Éthiopie voisine. Je leur fais signe de la main, vaguement inquiet de l'accueil qui me sera réservé dans ces contrées arides que les colonisateurs arabes baptisèrent autrefois Bilad al-Sudan, le pays des Noirs. Qui sont-ils? Depuis un an, une sanglante guerre civile déchire le Darfour, à l'ouest de ma route, les rebelles exigeant une plus juste répartition des richesses et des ressources sur fond de tensions ethniques. Luce a lu récemment que l'Union africaine venait d'envoyer là-bas plus de 3000 soldats… Elle s'inquiète, Luce. Je crois même qu'elle est rongée d'angoisse. Rien, pourtant, sur les terres que je traverse, ne permet d'imaginer les terribles atrocités en train de se commettre, au même moment, là-bas… C'est là l'un des mystères que j'ai pu observer tout au long de ma marche: la vie fait les hommes Dieu ou diable, c'est selon. Et ce tendre père qui pleure au chevet de sa petite fille en train de mourir de la malaria, toute tremblante sous l'abri ajouré de la hutte familiale, porte comme moi en son sein, endormi, le visage du diable. Je rencontre cette famille à deux jours de la frontière; elle m'enveloppe aussitôt dans son intimité.

Le petit corps de l'enfant tressaille entre une multitude de bras attentionnés. Je possède quelques comprimés que j'écrase dans un verre d'eau, mais elle trouve à peine la force de le boire. Ses parents décident de la conduire à l'hôpital, plus loin sur ma route… Le lendemain, comme j'arrive à Doka, j'aperçois la famille déposant dans un camion le corps délicat enveloppé de blanc. Je n'ose m'approcher, mais je ressens aussitôt une profonde empathie pour cet humble peuple accablé de tourments, et qui pourtant s'efforce de préserver ses fragiles bonheurs quotidiens. Il y parvient – je le découvre – à travers la religion, le plus souvent… Un islam impérieux, exigeant, dont les codes stricts encadrent l'ordinaire des jours et leur donnent un sens.

J'arrive à Sabune au soir du 15 octobre, après une longue marche sur la terre desséchée. Un Érythréen, propriétaire d'un modeste restaurant installé en devanture d'un commerce de fèves, m'invite pour le souper. Installés à l'ombre d'un auvent sur des grabats tissés de nylon, quelques hommes discutent en partageant du thé, lorsque soudain leurs gestes se figent. Les regards se tendent vers le ciel ; au levant apparaît un fin croissant de lune… Le ramadan vient de commencer, tous laissent éclater leur joie. Je dors sur le sol encore brûlant de la chaleur accumulée pendant la journée. Le lendemain, dans une fournaise quasiment insoutenable, les orteils écrasés par des chaussures trop courtes, j'en tranche la pointe. Je marche désormais avec des souliers souriants, mais cette respiration ne m'apporte qu'un maigre soulagement.

J'ai faim.

Je marche tout le jour, tremblant, dans les champs de céréales, et j'ai faim.

Toutes les rares échoppes sont fermées, je ne trouve rien à manger dans cette steppe fertile. Heureusement, des pots d'argile remplis d'eau fraîche jalonnent le chemin, je m'y désaltère sous le soleil brûlant, et je marche et je marche en songeant que ce voyage à pied est trop long, et ma vie trop courte. Le soir pourtant, on m'accueille dans chaque village avec une chaleur enthousiaste. Quelle que soit leur condition, les habitants se font un devoir d'ouvrir leur porte au voyageur, dans un élan d'hospitalité naturel et profond. Partageant leurs repas au cours des grandes soirées qui marquent la fin du jeûne, je m'imprègne de l'atmosphère de sérénité qui règne en cette période sacrée. Une nuit, je demande à mon hôte : « Je suis un étranger blanc. Y a-t-il un danger pour moi à dormir au bord de la route ? » Il se récrie : « Bien sûr que non ! Tu es en sécurité ici, partout. » Je ne tarde pas à vérifier ses dires. Les mois que je passe au Soudan seront les plus sécuritaires de ma route ! Je marche de jour comme de nuit dans une ambiance paisible, libre de toute appréhension.

La pression s'exerce ailleurs. Sur les âmes, dans le secret des maisons…

La puissance de la religion me surprend chaque jour. Partout on essaie de me convertir, et j'éprouve les plus grandes peines à aborder d'autres sujets avec mes amis de passage. La foi omniprésente imprègne tous les moments du quotidien, les journées s'écoulant en jeûnes, prières, ablutions et lectures du Coran. J'écoute, et je me tais. Assis avec mes hôtes au bout des longs tapis, je me demande où sont les femmes, les sœurs, les fillettes. Ailleurs, probablement, dans un autre monde. Où est cet autre monde ? Partout je ne vois que des hommes, chaleureux, aimables, accueillants…

Sauf aujourd'hui. J'ai aperçu cette femme sur le bord de la route. Sous le voile, son œil était enflé.

À Khartoum, je manque les célébrations de la fin du ramadan, cloué au lit par une infection intestinale foudroyante. Mais je quitte la capitale soulagé. La rupture du jeûne marque la fin de mon supplice d'Occidental vorace : si je meurs dans le désert de Nubie, ce ne sera pas de faim. À moins que…

À moins que les ressources ne viennent à manquer. À la veille de m'enfoncer dans le désert brûlant, je compte mes réserves. Il ne me reste en poche que 150 dollars, et avec cet argent je dois encore prolonger mon visa, payer le traversier pour Assouan et survivre deux mois. Si je veux y arriver, je dois absolument restreindre mes dépenses. Ce qui veut dire, essentiellement, manger moins ! Cette perspective me déprime profondément, à l'heure où je m'apprête à pénétrer dans une zone désertique particulièrement isolée : le Sahara nubien… Je vais marcher dix jours dans ce brasier de sable et de roches, écrasé de soleil, entre les mers de dunes et les carcasses d'animaux morts.

Le sable glisse en poussière sur la route et me fouette les yeux, j'avance péniblement. Comme au Chili, je suis heureux d'être dans le désert, mais en même temps troublé par ma situation matérielle. Je me sens désorganisé, vulnérable. Le 24 novembre, je mange mon dernier pain. Je ne me comprends plus, j'ai du mal à m'organiser pour la nourriture… Sur la route difficile montant en faux plat à travers les dunes, j'ai soudain envie de m'arrêter. Je pense à Luce, aux enfants, à ma mère que je me mets ridiculement à appeler dans le désert ! Je pourrais arrêter une voiture, me livrer aux autorités, peut-être ?… Je n'ai plus d'argent, comment vais-je me débrouiller pour atteindre l'Égypte, où je pourrai enfin utiliser mes cartes bancaires ? Il me reste peut-être sept années à marcher, je n'y arriverai pas. Je pense à ma petite-fille née au début de ma marche et que je n'ai jamais vue qui me dira, à onze ans : « Va-t'en grand-père, il est trop tard. C'était drôle ton histoire, mais ce n'est plus drôle maintenant. » Je pense à mon vieux père, malade, que je voudrais revoir vivant, et pendant ce temps je marche, je marche, je marche… parce qu'il n'y a rien d'autre à faire. Un soir enfin, je distingue à l'horizon, très loin, une sorte de piquet planté comme un cure-dent dans le désert. C'est le minaret d'une mosquée ! La perspective de manger me donne des ailes, et tandis que je trottine gaiement entre les dunes de sable, une voiture s'arrête à ma hauteur. « Salam ! Qu'est-ce que tu fais là ? – Salam, réponds-je, un peu essoufflé. Je fais le tour du monde. » On me regarde avec des yeux éberlués. Il faut dire que j'ai une allure… Avec ce châle enroulé autour de mon visage rongé par une barbe hirsute, mes pantalons déchirés et ma longue djellaba, je ressemble à un Pakistanais. Un Pakistanais qui pousserait en sautillant une poussette dans le désert. Totalement aberrant ! Je les fais tellement rire, ces joyeux Soudanais, qu'ils me donnent une enveloppe avant de repartir. Cent dollars, je suis sauvé ! Je vais pouvoir sortir du pays !

La vie renaît doucement à l'approche du Nil, bordé d'îlots de terres irriguées. Les Nubiens pratiquent un islam moins strict que leurs compatriotes du Sud, et les femmes réapparaissent à nouveau dans mon monde. Mon look improbable attire les curieux : « Hé ! Tu viens du Pakistan ? », et je plaisante : « Non, je viens de l'Afghanistan, je m'appelle Oussama », alors les hommes rigolent à s'en tenir les côtes. « Bienvenue à toi ! » Oussama ben Laden est un héros pour eux, et pourtant, nous rions. Tout cela, au fond, ne nous concerne pas… Le soir à la veillée, je fais glousser les femmes dans cette société polygame en leur racontant qu'au Canada, ce sont elles qui ont quatre maris, et que les hommes filent droit. Ils font les courses, le ménage, la cuisine, et quand elles en ont marre, elles peuvent en prendre un autre. Elles en pleurent d'hilarité sous leur voile.

Les hommes, eux, ne rient pas.

Je vais marcher un an, encore, sur ces terres d'islam. Je me demande combien de fois nous pourrons rire de cela.

SEXE ET POLICE

30 décembre 2004 – 13 juillet 2005

→ **ÉGYPTE** → **TUNISIE** →

Il y a le règlement de formalités, puis le re-règlement de formalités. Ensuite les vérificateurs de formalités passent chaque document au crible avant de confier les liasses aux ramasseurs de formalités vérifiées, qui les font transiter au Bureau suprême des formalités validées, où elles seront enfin estampées, timbrées et signées. Un court processus, quoi! Et il est insuffisant: lorsque j'accoste à Assouan après avoir traversé le lac Nasser, les autorités égyptiennes m'accueillent avec circonspection. Rien à redire, semble-t-il, sur les formalités – leurs confrères soudanais ont fait les choses en règle –, mais l'allure misérable de ce barbu traînant une poussette éveille leurs soupçons. Heureusement, un interrogatoire approfondi les convainc que je ne suis pas un terroriste, simplement un doux dingue faisant le tour du monde. « Bienvenue en Égypte! » disent-ils en souriant et en m'offrant le traditionnel *karkadé*, mais dans leurs yeux fatigués je lis: « Encore des problèmes! » Une camionnette de police m'escorte jusqu'à un petit hôtel dont les policiers paient la chambre pour six nuits, le temps que mon dossier soit envoyé au Caire. Va-t-on me laisser libre? À peine deux mois plus tôt, une série d'attentats à l'explosif ont coûté la vie à trente-quatre personnes dans une station touristique du bord de la mer Rouge, durcissant l'état d'urgence en vigueur en Égypte depuis près de quarante ans. Les touristes, première source de revenus du pays, voyagent sous escorte... Je profite de ce repos forcé pour visiter la ville, réparer de menues pièces de mon matériel et me faire raser la barbe. La réponse des autorités me parvient en même temps qu'un ravissant bouquet d'hibiscus, cadeau du bureau du tourisme : on me laisse libre de marcher jusqu'à Louxor, à 200 kilomètres. Après…

Pendant cinq jours, je remonte le cœur léger la superbe vallée du Nil, rêvant sous les dattiers quand le soleil se couche sur le fleuve diamanté… Après une visite du temple d'Horus, Ibrahim me présente à son cousin Ibrahim qui lui me conduit à sa femme Sahah, sa fille Elham et ses frères Atif, Mohamed, Bahaa et Alaa. Tous m'accueillent avec exubérance, enchantant notre rencontre de leur parler poétique : « Entre ! Tu apportes la lumière dans notre maison ! » Nous partageons thé *chaï* et repas, on m'invite à fumer la *shisha* en regardant la vie s'écouler, et je pense : « Quel doux peuple… » Je suis avide de le comprendre et de le connaître mieux. Mais au matin du sixième jour, une camionnette de police fait halte à ma hauteur : « *Sabah el-kheir*, bonjour, bienvenue en Égypte ! » Quatre officiers en sortent et m'annoncent aimablement qu'à compter de cet instant ils sont à mon service, tout dédiés à la protection de ma personne. Puis, sans autre forme d'avertissement, ils s'emparent de ma poussette et l'embarquent ! Abasourdi, je refuse de monter dans leur véhicule et je m'en vais à pied. Nous parcourons trois kilomètres jusqu'au prochain village, moi marchant, eux me talonnant en roulant au pas. Ils m'escortent ainsi jusqu'à un hôtel qu'on me demande de payer. Je tente de leur expliquer que j'ai très peu d'argent, que j'essaie de dormir dans des abris ou chez les habitants… En vain. Mes flics sur les talons, j'achète quatre œufs crus dans une échoppe que je gobe sous leurs yeux médusés, puis m'enferme pour la nuit dans ma chambre à 12 dollars, un Égyptien en armes veillant à côté de moi. À partir de ce jour, je serai encadré, en permanence, par des policiers. Impossible d'établir le moindre contact avec les habitants, je me sens condamné.

Mes cerbères ne peuvent concevoir, assurent-ils, qu'un Égyptien accepte de me recevoir chez lui tant les gens d'ici seraient inhospitaliers. Des personnes désagréables, des rustres ! Étant catalogué comme chrétien, on m'autorise tout de même à m'adresser aux prêtres des églises… C'est tout ce que j'obtiendrai. J'enrage, je fulmine, j'en consume mon énergie. Une logistique démente se met en place autour de ma poussette. Des quarts de garde sont organisés, leur coordination entraîne des heures d'attente interminables au bord de la route, passées en appels radio d'un poste de police à l'autre. Je connais d'intenses moments de frustration, puis au bout de dix jours… j'abandonne. Je lâche prise. Je marcherai incarcéré, puisque la dictature l'exige. Sans le moindre contact avec la population, je n'ai rien d'autre à faire que marcher, et mes étapes s'allongent. Les gardes m'attendent à l'entrée des cafés avec leurs mitraillettes. Le pays ne peut se permettre qu'il m'arrive malheur, m'expliquent-ils, sans que je parvienne à déterminer s'ils ont réellement peur pour ma sécurité, ou si au contraire je suis le subversif. J'ai le sentiment de marcher les menottes aux poignets, comme dans la cour d'une prison. Interdiction de parler – à personne, et évidemment pas à l'opposition. On me refuse même le droit d'être un vagabond ! Les villageois nous regardent passer, le visage impénétrable, et en moi la révolte gronde, je ressens leur douleur : ces 72 millions d'Égyptiens ne peuvent donc rencontrer personne ? Au nom de la « sécurité » ? Que penser de cette lutte antiterroriste qui justifie des lois d'exception et permet d'opprimer un peuple, de brider ses droits, d'incarcérer sans inculpation ni jugement des milliers de personnes sur un vague soupçon d'atteinte à l'« ordre public » ? Je crois lire dans les yeux de ces gens qu'on m'interdit de connaître comme une mélancolie, cette sorte de tristesse qui, avec le temps, se transforme en violence, puis en terreur. Soudain les craintes de mes amis américains me reviennent en mémoire, eux qui n'osent quitter leur pays, affolés par une propagande alarmiste sur les dangers de contrées en proie aux groupes terroristes... Je me demande si, au fond, ils sont beaucoup plus libres.

Un soir de la fin janvier, la nuit est tombée lorsque nous atteignons l'antique cité d'Akhmîm, sur la rive droite du Nil. Les policiers font halte en face de l'église orthodoxe, mais le prêtre refuse de me recevoir. « Qu'est-ce qu'on fait ? » demandent-ils, l'air d'attendre sincèrement que je trouve une solution. Cela m'exaspère. Je débite une liste des ressources possibles : les pompiers, l'hôpital, des familles, l'organisme du Croissant-Rouge... Mes gardes refusent. Alors je campe ici ! « Hors de question ! » De guerre lasse, ils décident de charger ma poussette sur un taxi et me conduisent au poste de police. Mais au moment où ils se tournent vers moi, le regard vide, me demandant de payer la course... j'explose. J'entre dans le poste en hurlant comme un forcené, défonçant la porte battante avec ma poussette : « Où est le chef ? Où est le chef ? » Personne n'ose me répondre, et je fonds comme une torpille sur l'unique porte fermée. Sanglé dans son uniforme vert derrière un bureau vide, le chef a l'air de s'ennuyer ferme. Je le réveille en criant : « Je veux seulement dormir, DORMIR ! Y a-t-il une place, un trou pour moi dans cette ville ? » Il désigne en tremblant un bureau désaffecté. Je m'endors dans la lumière crue des néons.

Au fil des jours, la tension se relâche et j'apprends à nouer quelques liens avec mes gardes du corps. Un matin, attendant la relève de l'escorte au poste de police, le jeune Mahmud m'interroge sur ma famille... Je décide brusquement de lui dire la vérité. Je suis l'aîné de cinq enfants, je n'ai pas de religion, mes parents ont divorcé, j'ai moi-même divorcé de ma première épouse... Quand j'ai rencontré Luce, ce sont mes enfants qui nous ont mariés. Ha, ha ! Qu'est-ce que tu dis de cela, Monsieur le policier ? Un frisson d'audace me parcourt l'échine, j'ai conscience de tenir un discours effroyablement transgressif.

– Oh ! Mais c'est très mal, bredouille Mahmud, les yeux écarquillés.

– Je ne pense pas. Dieu est heureux si l'on est heureux, tu ne crois pas ?

J'observe le visage de Mahmud se rembrunir, et son corps se fermer quand il secoue la tête. « Non, non… » J'insiste : « Et malgré toutes mes tares, je marche pour la paix. Tu sais, Mahmud, on ne peut pas enfermer l'amour dans des commandements… » Je le sens confus, troublé, quand soudain l'atmosphère se détend. Tirant un téléphone de la poche de son uniforme, il me montre en riant lourdement une série d'images pornographiques.

– Est-ce qu'il y a cela chez vous aussi ? Des dames dans cette position, et cet homme…

– Bien sûr, c'est partout accessible. Est-ce interdit en Égypte ?

– Oh, oui ! On risque vingt-cinq ans de prison. Sans pardon possible.

Je jette un bref coup d'œil à la porte du cachot.

– Et toi, qu'est-ce que tu risques ?

– Moi ce n'est pas pareil, je suis policier…

Évidemment. La police toute-puissante se place au-dessus des lois, j'aurais dû m'en souvenir…

Nous nous séparons au Caire, après plus d'un mois de marche emprisonné. Sur le tablier du pont qui jouxte la voie de ceinture, dans le tumulte de la ville, le chef me salue en me souhaitant bon voyage dans le reste de l'Égypte, puis il disparaît dans la foule.

Marchant sur la corniche longeant les eaux du Nil, fouetté par le vent frais qui arrive du grand large, je me sens enfin libre.

Cinq mois plus tard, les terribles attentats de Charm el-Cheikh feront, sur la mer Rouge, 88 victimes.

Je marche vers Alexandrie le long des marais, observant les pêcheurs lancer leurs filets dans l'air chargé de senteurs d'algues et de coquillages. Je me sens comme en vacances, visitant les pyramides, m'arrêtant en chemin pour le simple plaisir de discuter un peu avec les commerçants, les promeneurs, les paysans. Depuis la romantique Alexandrie, ma longue route bifurque vers l'ouest, vers le Maghreb. J'ai hâte d'entendre leur français, mais je suis inquiet. Chaque semaine je contacte l'ambassade de Libye au Caire pour m'informer de mon visa. On ne me répond pas. Je marche encore sous le soleil entre ruines romaines et traces de la Deuxième Guerre mondiale. Ce matin, je vais saluer M. Sluma. Assis par terre, il répare une pièce d'auto. Puis il se lève et, vacillant légèrement sur sa jambe de bois toute sculptée, il ouvre un petit tiroir et je me récrie : « Non, non ! Tu as quatre enfants », mais ses yeux noirs sont décidés et il glisse un billet dans ma poche de chemise. La veille, j'ai appris de ses amis qu'une « fleur du mal » a explosé sous son pied lorsqu'il était enfant, c'était à El-Alamein. Mais il en parle rarement.

Plusieurs familles m'accueillent sous leur toit, mais si nous discutons jusque tard dans la nuit, les conversations meurent dès l'instant où j'évoque la pression policière ou le terrorisme. Ignorer le démon, c'est le tenir à distance… Je rencontre Shaïd sur le bord de la route, en direction de Marsa Matrouh. Il insiste pour me recevoir à souper, dans une grande maison débordant de rires d'enfants. Assis par terre devant les plats, je devine des ombres filer discrètement à travers la pièce pour rejoindre quelque alcôve dissimulée dans les profondeurs de la maison. Shaïd a trente enfants, m'explique-t-il fièrement. Et deux femmes, précise-t-il dans un large sourire dévoilant sa canine d'argent. À la fin du repas, avec cérémonie, il extrait d'une minuscule boîte finement ouvragée un sachet de haschich, et nous commençons à fumer. Tandis que je glisse lentement dans un bien-être euphorique, j'entends Shaïd demander : « Combien ça coûte, une femme, au Canada ? » Sa question m'amuse, et nous dérivons sur la sexualité, affalés sur les coussins. Dans mon pays, lui dis-je, les femmes choisissent librement leurs partenaires. Elles peuvent en avoir plusieurs, et attendent d'eux en général qu'ils leur donnent du plaisir. Cela le surprend beaucoup. « Du plaisir ? Ici, les femmes sont excisées avant d'avoir cinq ans. Comment faites-vous l'amour, au Canada ? » Alors je lui raconte. Dans la salle à manger de ce bon père de famille musulman, je me lance dans une description imagée des mille et une positions du Kāma Sūtra, allant jusqu'à mimer certaines situations. Shaïd est profondément choqué.

En quittant l'Égypte quelques jours plus tard, je rêve que ma leçon d'amour est en train de se répandre autour de la *shisha* parmi les hommes du village, comme un cadeau que je laisserais aux femmes de ce pays, et à toutes les autres, cette moitié d'humanité qui me manque cruellement depuis que je marche en terre musulmane.

Repoussé aux portes de la Libye, je m'envole jusqu'à Tunis et reprends ma marche du côté autorisé de la frontière. J'emprunte la voie romaine en direction de Djerba, tournant le dos au portrait géant de Kadhafi qui me toise de son regard d'aigle. Les Tunisiens l'appellent « le fou » : on raconte qu'il change d'avis selon la couleur de ses urines. Sur la route bordée d'oliveraies, je renoue avec la gent policière, mais je comprends cette fois que ma sécurité n'est pas leur préoccupation première. J'ai le sentiment qu'ils me prennent pour une sorte d'agent double. Mon escorte s'assure que je n'ai avec la population que des contacts superficiels. Quand la conversation se prolonge, les cerbères interviennent, notant l'identité de mes interlocuteurs ou leur ordonnant carrément de déguerpir.

Tous s'exécutent sans protester. Et partout ces affiches, ces portraits gigantesques du président Ben Ali, main sur le cœur, sourire crispé, s'incrustant dans les âmes par un culte dément de la personnalité.

Je quitte la douce Tunisie soulagé de voir l'escorte disparaître. Au poste frontalier d'Oum Teboul, les douaniers algériens me souhaitent la bienvenue en m'offrant un café. J'en profite pour m'informer de l'endroit où je pourrais échanger mes devises tunisiennes. Une expression étrange flotte sur son visage :

– Vous savez que c'est illégal d'échanger des devises ici ?

– Bien sûr ! C'est pour ça que je vous le demande.

Ces aimables policiers me trouveront même un endroit où passer ma première nuit…

MES AMOURS

15 juillet 2005 – 28 octobre 2005

→ **ALGÉRIE** →

La route serpente à travers la forêt, les rondes cimes des montagnes pâlissant dans le bleu tendre du ciel. Un paysan au champ m'interpelle : « Hé ! Vous êtes un pied-noir ? » Il se sent un peu seul, me dit-il, ses enfants sont en ville et ne veulent pas prendre la terre. Il s'exprime dans un français impeccable, étudié au collège au temps de la colonisation. Les agents frontaliers m'ont réservé une chambre à l'auberge de jeunesse, où je passe la soirée avec un groupe de jeunes écologistes berbères, originaires des montagnes. L'un d'eux m'invite à lui rendre visite à l'approche de Tizi-Ouzou. Pourquoi pas ? J'y serai sans doute pour mon anniversaire, au mois d'août...

Les gens accueillent avec chaleur *el-rahala*, le voyageur. Ils me racontent l'histoire du célèbre explorateur Ibn Battûta, musulman de souche berbère qui parcourut le monde au XIVe siècle, de l'Andalousie à la Chine, en vingt-neuf ans de voyages. Je me demande comment il luttait contre les ampoules à l'époque médiévale... J'arrive à Annaba les pieds en charpie, obsédé par l'urgence de faire ressemeler mes souliers. La radio du cordonnier diffuse un blues lancinant du Mississipi qui me plonge dans une mélancolie délicieuse. Je ne me souviens même plus quand j'ai entendu pour la dernière fois une musique occidentale ! « Nous sommes le pays le plus démocratique du monde arabe, sourit l'artisan. Nous sommes libres de consommer d'autres cultures, et même de critiquer le président ! Ici, c'est comme tu veux : tu portes le voile ou la minijupe.» Il évoque les années de braises de la terrible guerre civile qui opposa le gouvernement aux groupes islamistes dans les années quatre-vingt-dix. «Tout cela est derrière nous, dit-il, nous devons nous pardonner, sauf pour ceux qui ont tué et violé.» Sur les plages bondées d'Annaba, une foule d'enfants en colonies de vacances offertes par l'État dansent et jouent dans une ambiance de fête entre les parasols et les kiosques colorés. Je n'ai jamais eu la fibre écologiste, mais je suis choqué du nombre de déchets que je croise sur la route. Dans la banlieue de la ville, une vache fouille un sac plastique éventré sur un amoncellement d'ordures, et je m'enfarge dans les bouteilles de plastique écrasées, écœuré par l'eau noire, nauséabonde, qui stagne dans le bas-côté.

J'arrive à Constantine le 25 juillet, après une longue montée sur une route sinueuse. La ville est fascinante. Un réseau de sentiers et d'escaliers sculptés dans la roche escarpée relie les uns aux autres les ponts suspendus entre les falaises, et il me semble entendre, au détour des ruelles, les appels des bergers berbères répondant aux oraisons des philosophes romains, dans la musique mêlée des prières juives, des psaumes grégoriens et du chant des sourates. Au temps de la colonisation, des ascenseurs permettaient d'accéder à cette partie mystérieuse de la ville perchée sur les hauteurs, où après une course à travers les rapides, on se perdait dans les ruelles de la casbah turque avant de rejoindre les boutiques des arcades romaines. Dans le soir tombant, les ombres des amants passaient doucement sous la statue de Constantin avant de disparaître dans quelque alcôve rocheuse où résonnait l'écho du terrible Rummel roulant au fond de la gorge. Cela me laisse rêveur. Tout a changé aujourd'hui : les funiculaires ne fonctionnent plus et servent de toilettes souillées, les déchets dévalent des falaises en cascades, et au fond de l'abîme, le Rummel est noir d'eaux usées. Je suis heureux pourtant de cette incursion à l'intérieur des terres… Je comprends pourquoi la France s'est accrochée à ces contrées paradisiaques au sous-sol gorgé de ressources, même si son modèle rêvé de prospérité et d'ingénierie s'est lamentablement soldé par des centaines de milliers de morts. Aujourd'hui la Chine offre des minarets au pays. Quel sera le prix à payer ? Un Algérien plaisante : « Dieu créa l'Algérie si belle qu'aucune terre n'était à la hauteur. Alors pour ne pas rendre le reste du monde jaloux, il créa les Algériens. »

Partout l'on me presse d'informer le reste du monde que l'islam est une religion de paix. Mais le lendemain, souvent, d'autres m'exhortent à me convertir. « C'est la seule façon d'entrer au paradis », martèlent ces jeunes que je rencontre à El Milia, dans un café du centre-ville. « C'est facile : tu répètes trois fois *"La ilaha ila Allah Mohamed rassoul Allah"*, et ça y est, tu es musulman ! Tu dois entrer dans l'islam, sinon tu brûleras en enfer. » Je leur demande si Nelson Mandela ou le Mahatma Gandhi, qui ont consacré leur vie à la paix, iront se consumer dans les flammes… Ils sont formels, le Coran est très clair. Les Juifs ? L'un d'entre eux glisse un doigt sous sa gorge, la haine déformant son sourire. Je prends un air sévère : « Tes jugements sont un grave péché. Seul Allah juge ! » Bouleversé, je m'efforce de les comprendre. C'est un bien beau pays, mais ils ont beaucoup souffert de la décennie noire et personne ne les a aidés. Ils ne savent pas comment exprimer leur douleur au monde… Ces jeunes n'ont plus d'identité.

Je longe les plaines côtières sur la formidable corniche jijelienne, taillée à même les falaises du littoral et il me revient à la mémoire des chrétiens radicaux qui ont également tenté de m'endoctriner, sauf que le nom de Satan était brandi au lieu de celui d'Allah. Sous mes pieds, la mer turquoise explose en blanche écume au fond des précipices. Des bénévoles s'efforcent de régler la circulation au passage de tunnels étroits, appliquant cette forme d'entraide traditionnelle appelée la *touiza*, la solidarité. C'est elle qui entraîne les paysans à aider l'un des leurs en retard pour les labours, ou amis et familles à construire une maison pour un couple de jeunes mariés. S'ils pouvaient également ramasser les déchets... Hormis les terrains de soccer, propres et dégagés, ce pays est jonché de rebuts puants. Soudain je reçois sur l'épaule une bouteille de plastique, une jeune femme s'excuse... Peut-être un jour les Chinois proposeront-ils de nettoyer ces ordures? Encore une ressource que les Algériens ne contrôleront plus. Je suis las des innombrables tessons de bouteilles de bière qui constellent la route. Demain, en Kabylie, je changerai mes pneus pour d'épais modèles à crampons.

Je me réjouis de retrouver Rabah, là-haut dans les montagnes, ce jeune écologiste berbère rencontré il y a un mois à la frontière tunisienne. Ces Amazighs, «hommes libres», occupaient de vastes terres au nord de l'Afrique avant qu'une arabisation agressive restreigne leur territoire. «Nous sommes les hommes de cette terre, m'avait dit Rabah. Les Romains sont passés, puis les Arabes, les Turcs, les Français... Mais nous sommes toujours là.» Les Berbères, non arabes, se battent pour que leurs particularismes soient reconnus: voilà qui parle à mon cœur de Québécois! Après le col de Tagdinnt, les tuiles d'argile de petits villages s'éparpillent en joyeuses taches orange sur le flanc de la montagne. Le fin filet de route grise serpente entre les bois et les terres agricoles dans une lumière changeante mariant le vert riche et l'or. Passé le village de Kebouche, je m'arrête sous une enseigne insolite: *Le Rendez-vous des chasseurs*. Un pub dans l'Atlas tellien! J'entre et me trouve plongé en pleine atmosphère irlandaise. Des tables de bois sombre sont alignées entre les murs de planches brunes décorés de scènes de chasse. Derrière le comptoir, un rude gaillard astique de massives fontaines de bière en laiton. Azidine Zane, le patron, me propose une pression. Je lui réponds, éberlué:

– Vous êtes musulmans, et vous buvez ouvertement ?

– Oui. Nous sommes libres, ici. C'est comme tu veux : tu peux prier ou ne pas prier, boire ou ne pas boire. Mais tant qu'à boire, autant se soûler ! Il rigole. Nous sommes des Kabyles, des Amazighs, des hommes libres !

Azidine Zane est un ancien combattant de l'Armée de libération nationale, qui lutta de 1954 à 1962 contre le colonisateur français. En nous servant une chope de bière, il me raconte sa guerre dans le maquis, « spécialiste en saisie d'armes dans les embuscades », précise-t-il, retroussant chemise et pantalon pour exhiber ses cicatrices. « On les a eus, ces sacrés pieds-noirs ! La liberté, ça n'a pas de prix. »

Le surlendemain, Rabah vient me chercher à l'auberge de jeunesse de Tizi-Ouzou pour me conduire à son village, perché dans les montagnes à huit kilomètres au sud-ouest de la ville. En chemin, il m'explique que la Kabylie compte pas moins de 3250 villages, répartis dans plusieurs *willayas* – des provinces. Chacun a sa personnalité, définie par la rumeur du temps... Le sien, Aït Hessane, est réputé « accueillant ». Sous les montagnes du Djurdjura, les plus hautes de la région, son village apparaît, accroché au flanc d'une colline abrupte. Les boules cendrées des oliviers se détachent sur l'ocre de la terre, on en tire à l'automne une huile recherchée. Nous passons entre les maisons où la vie s'écoule tranquillement. Des vieillards somnolent au soleil, assis sur les tombes de petits cimetières familiaux. Plus loin, un groupe d'enfants jouent sérieusement aux billes sur le sol poussiéreux, tandis que leurs mères discutent en les surveillant distraitement, vêtues de couleurs vives, m'évoquant aussitôt un bouquet de fleurs des champs. Nous sommes le 18 août, et j'entre dans la maison de Rabah Amani. Sa mère, les mains plongées dans le grand plat d'argile débordant de couscous, m'accueille d'un sourire rayonnant. « C'est l'anniversaire de quelqu'un, aujourd'hui ! » J'en ai le cœur qui chavire...

Nous sommes le 18 août, j'ai cinquante ans, et je célèbre le cinquième anniversaire de ma marche. Rabah m'a préparé une surprise! Nous mangeons, dansons et chantons toute la nuit à la lueur des lampions, autour des tables dressées sur la place du village. Rabah a trouvé un DJ, et les femmes gloussent en admirant les hommes se trémousser sur des airs populaires. Nous sommes le 18 août, tout le village participe à ma fête. En soufflant les bougies de l'énorme gâteau, je ressens une joie telle que j'applaudis sans relâche, ne sachant comment exprimer mon immense gratitude. « Cela fait bien trente ans qu'aucun étranger n'était venu au village », s'exclame un vieil homme en me prenant dans ses bras. Nous sommes le 18 août, et l'étranger, ce soir, se sent comme en famille.

Je quitte mes amis à regret, fermant avec tristesse cette parenthèse enchantée de chaleur et de liberté. Au sortir d'une forêt d'arbres à liège, je croise un groupe d'hommes piqueniquant au pied d'une fontaine entre de petits kiosques de souvenirs. Ils sont entourés d'une montagne de déchets et – il faut le voir pour le croire – jettent les leurs sur la pile! Comment un peuple empreint d'une telle bonté peut-il, dans le même temps, offenser la nature avec autant de mépris? C'est la faute du gouvernement, me dit-on.

Je passe plusieurs semaines à Oran, choyé par les Algériens qui m'accueillent, et par le corps médical. Tourmenté depuis mon arrivée en Afrique par des douleurs gênantes, je consulte un urologue qui m'enjoint de subir au plus vite une chirurgie de la prostate. Comme je n'ai pas les moyens de rentrer au Canada, l'Algérie me prend une fois de plus sous son aile, et se dévoue pour remettre le marcheur en état de fonctionner. Je suis opéré par l'éminent professeur Attar, directeur de l'hôpital d'Oran, et dorloté par ses services au long des quinze jours de ma convalescence. Sans son intervention, je n'aurais sans doute pas pu terminer ce voyage.

Marchant vers le Maroc à l'approche de novembre, j'ai le cœur serré de quitter ce pays généreux, balayé de grands souffles de liberté.

«Mange, mange! insistaient mes hôtes. Il ne faut pas que les Marocains pensent que nous t'avons maltraité.»

LA PEUR DU LENDEMAIN

1er novembre 2005 – 30 novembre 2005

→ **MAROC** →

La médina est noire de monde. J'évite de justesse une charrette chargée de mandarines et de bananes entremêlées de feuilles d'oranger, slalomant entre de lourds sacs de jute gonflés de riz, de fèves et de blé. À la sortie de la ville, entre les champs irrigués, un berger berbère traverse la route avec son troupeau. «*Shhhh, Shhh…*» Les moutons lèvent la tête. «*Thaï, Thaï!*» Ils font demi-tour. «*Aïrs, Aïrs*», le troupeau ralentit… C'est fascinant. Ce berger parle aux moutons! D'où leur vient ce langage? Probablement du temps lointain où l'homme a domestiqué ces bêtes… Un troupeau semblable ne meurt pas. Celui-ci existe peut-être depuis cinq mille ans, allez savoir? Des paysans s'en reviennent des champs, l'âne tirant une charrette chargée de paniers d'olives. *El Hamdulilah!* Dieu soit loué! «La Providence est généreuse et les prix sont élevés!» Mohamed se sent le cœur prodigue, et m'invite à célébrer sa bonne fortune autour d'un thé que nous prendrons au souk quand sa récolte sera vendue. À peine deux heures plus tard, nous nous installons sur un grand tapis tissé à la main, sous un abri de plastique rappelant une tente berbère. Les hommes comparent leurs récoltes. Lorsque je demande: «Comment est le roi du Maroc?», un lourd silence s'installe. Je commande un autre thé, et les conversations reprennent. Ici l'on peut parler de tout, sauf de la royauté. Cela relève du domaine du sacré, et on n'interroge pas le sacré. Les murs ont des oreilles, alors imaginez une tente de plastique… Un avis déplacé peut vous coûter cinq ans, c'est une bonne raison de s'abstenir.

Mes pensées s'égarent tandis que je sirote mon thé. Dans neuf jours, j'achèverai ma traversée de ce vaste continent. L'Afrique et ses cultures bantoues, les Nilotes, les Arabes, les Berbères... Ethnies et croyances se mêlent dans ma tête, résonnant des contrastes, des conflits intérieurs et des richesses vécus. J'ai voulu entrer dans l'islam. Évoquant le paradis, j'ai vu les yeux des musulmans s'illuminer de bonheur avec tant d'émotion que j'ai voulu y croire. Croire aux montagnes de mets exotiques, aux torrents de vins et de fines liqueurs, aux femmes envoûtantes offertes pour une éternité de luxure... J'ai essayé, mais je reviens. Même dans la douce Tunisie, même dans l'Algérie libérale, même au Maroc où filles et femmes sont cultivées et instruites, l'amour est trop bridé pour que mon âme s'épanouisse. Pour aimer librement, je ne peux me résoudre à attendre de mourir. Je finis mon thé et me lève lentement en saluant ces hommes. Je grave dans ma mémoire cet instant précieux... Dans neuf jours, je vais retrouver l'Occident.

Et j'ai la trouille.

Luce me l'a écrit : elle me sent nerveux. Cela fait plus de cinq ans que j'ai quitté son monde, un monde de domination et de richesses, d'efficacité et de performance. Me regardera-t-on seulement, en Occident ? Ces cinq années à me fondre dans le quotidien du Sud m'ont rempli d'amertume. J'ai partagé la colère des paysans sud-américains, touché l'abandon des peuples d'Afrique noire, compris les frustrations des anciennes colonies... Mes préjugés anciens se sont envolés, remplacés par d'autres, où le Blanc est trop souvent l'incarnation du mal. Saurai-je me libérer de tout cela ?

Je traverse sous le ciel bleu une vallée du Moyen Atlas, en me remémorant ces deux ans et demi de ma vie africaine. La tristesse dévastatrice du sida et de la malaria, la terre des Bonnes Gens du Mozambique, mes marches dans la faune sauvage, les routes désertiques… Mais aussi les portes ouvertes pour le thé, les cafés rituels d'Éthiopie, les repas partagés, les lits disponibles. Le Nil, le Dieu unique, et ce Maroc timide et silencieux après la généreuse Algérie.

Plus qu'une heure et je vais conclure ma marche. Je passe devant un palais royal et pénètre dans la ville de Rabat. Je marche lentement vers la mer, et trempe mes mains dans l'eau saumâtre. Je confie mes pas à l'écume… Demain, je dormirai au Portugal.

DON JEAN QUICHOTTE

2 décembre 2005 – 30 mars 2006

→ PORTUGAL → ESPAGNE →

Une nuée de feuilles brunes forme des mosaïques sur les trottoirs humides. Cela me rappelle l'automne québécois… Ce 3 décembre 2005, Lisbonne a déjà revêtu ses parures de Noël, les vitrines des boutiques scintillent de mille lumières dans un amoncellement d'objets de marque. Je me repais de ce spectacle avec un mélange d'émerveillement et de familiarité. Chaussures, montres, bijoux, accessoires pour les chiens… même les mannequins de plastique me paraissent tellement beaux qu'on voudrait changer de corps. Je porte toujours autour du cou mon châle soudanais. J'arrive de si loin, d'une autre planète… Mais personne ne semble le remarquer. Tandis que je demande mon chemin à un passant, je réalise soudain à sa mine effrayée que ma façon de dévorer des yeux ses biscuits le met mal à l'aise. J'ai une faim de loup, et dans les pays d'où je viens, il est mal vu de manger en présence des autres, ou il faut partager. Ce brave homme doit craindre que je me jette sur ses gâteaux… Je vais devoir me réadapter à ma propre culture, et cette perspective me désenchante. Tout me paraît concentré, rangé, organisé. Au bout de quelques jours, je cesse de saluer de la main les gens sur mon passage, de crainte qu'ils ne me prennent pour un fou… Je me sens décontenancé, épuisé par le choc.

Je compte 15 euros pour payer ma pension et m'en vais le pas traînant dans un restaurant populaire, où je commande une assiette de poisson. La télévision hurle au fond de la salle remplie de supporters d'équipes de soccer ; demain on joue un match de la Ligue des champions. Un Irlandais massif en T-shirt de la Manchester United s'assied lourdement sur le banc en me montrant son billet. Il parle fort, Dano Doyle, entrecoupant sa conversation de grands rires caverneux. Il me balance une claque dans le dos en commandant une bière, « et un whisky : du Canadian Club pour mon ami nostalgique », braille-t-il avec un accent rugueux du Nord. Un J&B fera l'affaire, je l'avale d'un coup sec. Pendant une heure, l'Irlandais m'ensevelit d'anecdotes sur ses expériences de voyage, l'Afrique du Sud, le chien héros de Simon's Town, les ours blancs de Churchill Falls, les stations-service d'eau de Téhéran… Il parle tant que j'ai du mal à le suivre, comme s'il voulait retenir le cours de mes pensées pour les empêcher de sombrer dans l'abîme. À la fin du repas, il glisse deux billets de 50 euros dans la poche de ma chemise en disant : « Rappelle-toi, Jean. Quand tu es dans le fond de la déprime, tu ne peux pas tomber plus bas ! » Sur ce précieux rappel de sagesse populaire, il enfonce sur sa tête son bonnet de la Manchester United et sort à pas de géant. Étonnant Irlandais ! Il m'a décortiqué en à peine quelques secondes. Ma détresse serait-elle si évidente ?

Les semaines de marche à travers l'Espagne voisine ne dissipent pas mon malaise. Les marques d'attention des familles qui m'accueillent me parviennent au travers d'un brouillard, comme si l'environnement imposait entre nous une barrière infranchissable. Je n'arrive plus à établir de contact. Tout me paraît étrange, et sur la route, tout m'agresse. Les lignes immaculées des chaussées impeccables, la vitesse des voitures, les enseignes publicitaires… En cinq ans et demi, mon cerveau a perdu l'habitude de recevoir ces centaines, ces milliers de messages intrusifs. Je plains ces gens qui courent, sans cesse, après le temps, l'argent, et les superlatifs. Je souffre de ces « extrême », ces « super », ces « extra » affichés partout qui souillent le paysage et déforment notre rapport au temps. J'ai le sentiment de marcher dans un monde de mensonges, au milieu d'êtres mutants... Un matin, alors que j'aperçois à l'horizon la côte méditerranéenne, un groupe de cyclistes apparaît. Avec leurs collants de couleurs criardes, ils me font penser à des grenouilles d'Amazonie montées sur des brancards, faisant aller leurs cuisses dans un va-et-vient d'une régularité de métronome, déterminés à se placer dans la course de la technologie. Je les trouve drôles avec leurs casques allongés à l'arrière, il ne leur manque qu'un nez conique pour fendre parfaitement l'air... Ou peut-être une carotte? Ils me croisent dans un éclair. Surtout ne pas s'arrêter, il faut suivre! Je me rappelle que j'étais comme eux, autrefois. L'homme s'épuise à inventer des machines plus parfaites que lui-même. Les pauvres d'Occident sont ceux qui ne consomment pas, voilà ce qu'étaient mes valeurs. En traversant quelques jours plus tôt la région de la Mancha, entre les plaines fertiles autrefois parsemées de moulins, je me suis senti comme don Quichotte. Jusqu'où peut-on se battre pour une cause qu'on chérit? Dans les plaines, d'immenses pylônes d'éoliennes ont remplacé les moulins... ma marche n'avait pas de raison d'être, ici. Je l'ai compris peu de temps après mon départ: je marche sans raison définie, ce sont les gens que je croise qui construisent la cause. Sans eux, mon voyage n'a plus de sens... Que pouvais-je apporter à ces peuples d'Occident, enfermés dans leur course? Dans la beauté abrupte des monts de Tolède, je caresse l'idée d'éviter l'Europe. Je pourrais longer la Méditerranée, et depuis l'Italie rejoindre la Turquie, le Moyen-Orient...

Je franchis la frontière le 31 mars 2006, dans les Pyrénées. Dans le village du Perthus, je rencontre mon premier vrai Français, un policier joufflu et grassouillet qui se prénomme Jean, comme moi. « Oh là là! Vous faites le tour du monde à pied? Ça... Il faut le faire! Oh là là! » Comme je descends le col du Perthus jusqu'au Boulou, un passant m'offre une bouteille de vin. Les gendarmes auxquels je demande d'estamper symboliquement mon passeport m'accueillent comme leur cousin, et retournent le poste de la cave au grenier pour dénicher un tampon antique, datant d'avant l'époque de l'Union européenne. Je ris et plaisante avec eux, mais mon cœur est ailleurs. Je rejette cette Europe avec bien plus de violence que je n'ai rejeté, avant de les découvrir, les cultures du tiers-monde.

En quittant le Canada, j'ai tourné le dos à ce que j'étais, et me voilà face à mon miroir.

J'ai peur de ce que je vais découvrir. La vérité, c'est que j'ai peur de moi-même…

BONJOUR, MES COUSINS

31 mars 2006 – 23 juin 2006

→ FRANCE →

Je l'ai rencontré quelques jours après mon arrivée en France, sur un chemin des Cévennes. J'avais quitté les grands axes pour remonter au nord par la départementale 17, fatigué de la vitesse et de la défiance des gens à mon approche, encore ébranlé par la réaction de cette travailleuse à laquelle j'avais, à la sortie d'une usine, demandé mon chemin. Elle s'était enfuie d'un bond en serrant son cabas, comme si j'avais actionné un ressort! « Vous savez, il y a tellement de violence... » J'aspirais à retrouver un peu de simplicité dans les rapports humains.

Ce 14 avril, en traversant au soir tombant le village de Lézan, blotti entre de vertes collines recouvertes de vignes, de pins et d'oliviers, j'aperçois un homme en train de bricoler dans sa remise. Yves Michel répond à mon sourire, simplement. Le Canada? Il connaît. Dormir? Il y a une chambre aménagée dans la remise. « Mais avant cela, tu vas souper », et tandis qu'il m'attrape le coude, son fort accent du Midi m'entraîne comme dans une danse. Il me prévient que sa femme est de nature farouche, mais en passant la porte j'ai l'impression d'entrer dans une maison où j'étais attendu. Nous passons la soirée en discussions légères. Michel me raconte l'histoire des huguenots qui résistèrent ici à l'oppression catholique, celle de la vigne qui donne une « piquette » fameuse, m'avertit de l'accent « pointu » des Français du Nord... Pendant que Renée, son épouse, tranche mon pain avec un sourire permanent, veillant à ce que mon assiette soit constamment remplie de cette excellente soupe aux choux qui mijote sur le poêle dans un solide chaudron. Je me sens peu à peu glisser dans le bien-être, comme si ce couple de retraités me poussait gentiment à me réconcilier avec ma culture, du bout de sa louche. J'attendais cet instant depuis si longtemps... Il aura fallu quatre mois de marche à travers cette Europe fébrile, efficace et high-tech, pour que je parvienne enfin à briser la glace qui me séparait des miens. Je pense à l'origine du mot « indigène », qui signifie « originaire du pays », les gens de la terre... Dans tous les pays que j'ai traversés, c'est auprès d'eux que j'ai retrouvé les valeurs les plus proches des miennes. En reposant ma cuillère sur la toile cirée de la cuisine, pour la première fois, je me sens réellement bien.

Je traverse le Languedoc en suivant les rayons du soleil, caressé par une tiède brise de printemps. C'est le temps des baptêmes et des fêtes de Pâques. Des jardins de Rochegude, derrière les murs de pierre troués de longues fenêtres, s'élèvent des éclats de joie qui descendent en cascade dans l'eau pure des ruisseaux où des poissons s'ébattent à l'approche des lavoirs. Plus loin, je plante ma tente entre des sarments de vigne de la vallée du Rhône, à l'orée d'un champ de colza... Après la ville de Lyon, je sens qu'imperceptiblement l'atmosphère se réchauffe, comme si les Français s'étaient nettoyés de leur distante réserve dans la ligne de partage des eaux. Il y a un brin de folie chez ce peuple qui me reçoit avec une coupe de vin à l'entrée des villages et m'entraîne dans d'interminables discussions autour de la table. Sur les routes de campagne, boutons d'or et coquelicots se laissent généreusement butiner dans les prairies gorgées de pluie où paissent de grasses charolaises, les sabots solidement plantés dans le sol saturé d'eau. Je cueille une marguerite que j'accroche à mon chapeau, me rappelant avec nostalgie mes premiers pas dans le Vermont américain, aux balbutiements de ma marche, lorsqu'un vieillard m'avait tendu de ses mains tremblotantes une fleur des champs cueillie sur le bord de la route. Son champ ressemblait à celui-ci, sa fleur aux sourires des paysans que je rencontre... Ces paysages de la vieille Europe paraissent si familiers à mes souvenirs d'enfant, dans l'air embaumé de senteurs de fumier et de foin séché, que je me surprends parfois à grignoter le sucre de grosses fleurs de trèfle encore perlées de rosée. Que sont devenus les champs de mon père? Et lui, est-il toujours cloué sur son lit d'hôpital? Est-il avec Élisa? Ma fille est sur le point d'accoucher de son deuxième enfant, Luce me l'a écrit hier. Je voudrais leur offrir une brassée de fleurs sauvages... Ce soir-là, le 15 mai, je demande l'hospitalité à un fermier portant sur le chemin deux lourds seaux de lait de chèvre. Je m'endors dans son étable entre des balles de foin, bercé par le caquètement des poulets, à l'instant où ma petite-fille pousse son premier cri, à des milliers de kilomètres.

Pendant la nuit, c'est comme si l'on avait jeté un pont entre le fleuve Saint-Laurent et le canal de la Loire, un pont immense, gigantesque, à l'image de ce formidable pont d'eau dessiné à Briare par Gustave Eiffel. Malgré la distance, le lien entre ce bébé et moi m'apparaît aussi solide que celui qui me relie à mes ancêtres, gens du Poitou qui s'embarquèrent en 1644 pour rejoindre l'Acadie, en terre nouvelle. En retrouvant mes racines, je scelle ma réconciliation avec cette culture que je sais être la mienne.

Au fil des jours suivants, je traverse Decize, Nevers, Fonçelin, Pougues-les-Eaux, le joli village de La Charité-sur-Loire où je m'attarde un peu. Sur le pont qui enjambe le dernier fleuve « sauvage », je me souviens qu'on m'a parlé d'une soirée québécoise organisée dans la région. Au crépuscule, je pousse les portes de la salle communale d'Herry, blottie contre un petit bois à l'entrée du village. On m'accueille avec des hurlements de joie. « C't'une tabarnak de marche ! » s'emporte le musicien en agitant les bras pendant que sa blonde m'entraîne vers la table centrale où l'on me gave pendant deux heures de petit salé aux lentilles. Et je mange et je mange en riant aux éclats, puis je reprends la route et bois et mange encore, comme si chaque hameau voulait semer en moi une parcelle de sa terre, distincte de toutes les autres. Et souvent, cette invitation : « Viens donc dans mon caveau… » Michel, un jour, m'attrape par surprise. « Descends donc voir un peu, que je te montre ma troussepinette… » Je me raidis en lui jetant un regard inquiet, sur la défensive, puis me résigne à le suivre dans la sombre cachette où sommeille son trésor : un vin d'épines noires macérées dans de l'eau-de-vie, que nous dégustons dans l'ombre comme deux épicuriens de contrebande. Il me semble soudain tenir entre mes mains et la terre, et la vie tout entière, emprisonnées par la magie de l'homme dans ces quelques gouttes de liqueur…

L'alcool alanguit corps et âme… Ces Français auront ma peau.

À Nemours, je quitte en titubant la cave Gueneau après une heure passée dans la réserve personnelle d'un propriétaire passionné, la tête résonnant de son ode à la vigne, à ses crus, au soleil qui a choisi de mûrir ici plus parfaitement qu'ailleurs les fruits de ses coteaux. J'ai bu encore – le moyen de faire autrement ? – et je demande grâce ! L'effet de la fatigue et du vin agit… vole… fleurit… court… souffle… rit sur la fin de ma route.

J'arrive à Paris au soir du 1er juin, semant sur les pavés mille fragments de terres régionales depuis la banlieue sud au nord de la capitale, où m'attendent Djamila et sa sœur Jasmine, filles d'un « ange gardien » rencontré à Alger, dans une autre vie. Elles habitent un quartier populaire essentiellement peuplé de Maghrébins, comme une annexe étonnante du nord de l'Afrique. Les réflexions entendues dans le sud de la France sur fond de tension palpable entre communautés me reviennent à l'esprit... « Ils sont violents », « dangereux », « ils ne s'intègrent pas », et la peur ressentie par ces gens barricadant leurs portes aux dernières lueurs du jour. Les Européens semblent avoir mis en place un système complexe d'enfermement de l'autre, en lui refusant l'accès à l'ascension sociale. Tandis que je flâne d'un quartier à l'autre, la séparation des êtres me désole. Certains sont tellement blêmes qu'ils auraient besoin de couleur dans leurs veines...

Pendant une dizaine de jours, je sillonne la capitale en rencontres, visites et bilans médicaux. Un médecin rencontré à Châtillon-sur-Loire m'offre un examen complet à l'hôpital Saint-Antoine, intégrant mon cas à un mystérieux « protocole de recherche sur les marcheurs au long cours » ! Je rejoins le siège de l'Unesco un peu encombré, la poitrine recouverte d'une dizaine de ventouses. Flatté d'être reçu – la seule fois en onze ans – par l'organisation, je ressens pourtant un certain malaise. Une semaine plus tôt, j'ai été invité en tant qu'observateur au 2e Salon international des initiatives de paix. À la table des conférenciers, la gauche vociférait contre les empires financiers qui affament la planète, un évêque catholique se chargeant de faire contrepoint. Pas d'imam, ni de rabbin. Les stands affichaient de grands posters de mamans et d'enfants crevant de faim dans le désert. L'évidence de la misère noire et de la richesse blanche jetée en pâture aux âmes de bonne volonté, et j'ai eu soudain envie de grimper sur une table pour crier que tout n'est pas si simple : pourquoi les taux de suicide restent-ils négligeables dans les pays dits pauvres ? Pourquoi y ai-je vu plus de sourires d'enfants que n'importe où dans le monde ? Quelle véritable richesse pouvons-nous apporter, quand nous-mêmes avons tout perdu ? Alors que les débats se poursuivaient sur la scène, un homme s'est levé soudain au fond de l'amphithéâtre, pour crier distinctement : « On n'aura la paix que par l'amour ! »

Puis il s'en est allé. Un brouhaha amusé a suivi son intervention, ces éminents messieurs affichant un sourire en coin. J'ai hésité à sortir à mon tour... Le gars avait raison, finalement. Il était le meilleur de tous les intervenants.

Je quitte Paris le 12 juin, impatient de retrouver les hommes et la terre des chemins. Longeant la Seine et les kiosques de bouquinistes après la place de la Nation, je pousse mon chariot devant Notre-Dame jusqu'aux pyramides du Louvre avant de rejoindre les Champs-Élysées par le jardin des Tuileries. De Chaillot à la tour Eiffel, les bières se consomment lâchement aux terrasses des cafés, et je marche vers la banlieue en songeant aux décors changeants des théâtres, où se joue depuis des siècles la même comédie humaine. Et à nouveau, je bois! Cidre, pommeau, calvados... Devant les douilles de laiton exposées au musée des Poilus, les habitants d'Authon abreuvent jusqu'à plus soif le digne descendant de ces soldats canadiens qui libérèrent leur ville il y a plus de soixante ans. Je longe la rivière Risle, bordée de belles chaumières aux charpentes apparentes entre les murs de terre blanchis à la chaux, jusqu'à l'estuaire de la Seine où baigne le port de Honfleur. Je me perds en rêveries sur les quais de la vieille ville... J'imagine Samuel de Champlain, le fondateur de la ville de Québec, saluant la foule au départ de son navire vers les côtes du Canada, puis ces milliers de Français s'embarquant vers un ailleurs rêvé, prêts à affronter le froid, le scorbut et les mille dangers d'une terrible traversée pour quitter cette vieille Europe féodale où rien n'était possible. Négociants sombrant dans la pauvreté et pauvres accédant aux richesses, voilà le rêve du Nouveau Monde! Autour de moi, les maigres maisons aux toits d'ardoise se collent les unes aux autres, des fleurs débordant de leurs fenêtres au-dessus des colombages comme pour saluer les Filles du Roy en partance pour la Nouvelle-France. J'entends tinter les cloches de l'église et un écho de rires dans le roulement des barils sur la pierre noire du quai, « Emportez du cidre là-bas, vous boirez à notre santé ! Et surtout bon vent, allez ! ». J'aime ce port de Honfleur, ses mercenaires et ses folies. Vivre, c'est voyager en dedans et en dehors de l'humain. Je longe le littoral jusqu'à Trouville-sur-Mer, où Dominique-le-sculpteur-marin vient me chercher pour que je dorme chez lui. Je l'affuble de ce surnom sitôt que je l'aperçois. Les cheveux ébouriffés coiffant un visage buriné, il me tend une main aux doigts cornés par le maniement de son ciseau à bois. Dans son atelier, il m'interroge des heures durant sur mon trépidant voyage de marin sans bateau en donnant des coups de coude à son fils Nicolas, poussé par son rêveur de père sur la voie de l'aventure. Il croit avoir reçu « la planète en un seul homme », le pauvre qui s'émerveille, sans voir qu'il tient lui-même l'Histoire entre ses doigts. Demain je retrouverai Jean-Alexis, de Bayeux, qui a organisé la suite de mon parcours. Il veut que je voie ses plages, Alex, les côtes du Débarquement, les musées, les cimetières… Mais alors que s'écoulent mes derniers jours en France, c'est surtout lui que je vois. Sa chaleur, sa passion, son visage souriant sur la plage de Cherbourg…

Je jette mes pas à la mer et m'embarque pour l'Irlande, la France au coin du cœur, et le cœur ouvert au monde.

À TA SANTÉ, MON PÈRE !

28 juin 2006 – 2 octobre 2006

→ IRLANDE → ÉCOSSE → ANGLETERRE → BELGIQUE → HOLLANDE →

– Il est grand, le prochain village ?

– Non, il n'y a que deux pubs. Mais au suivant, il y en a quatre.

Je fais halte sur le bas-côté humide, m'accordant un instant de réflexion. Quatre pubs ouverts offrent quatre fois plus de chances de passer la nuit au sec, c'est un point qui mérite d'être considéré. Mes vêtements sont trempés. Mon chariot est trempé. Mes souliers chuintent sur l'asphalte avec un bruit de ventouse. Il pleut à verse depuis les falaises d'Old Head of Kinsale emprisonnées dans la brume. Les bourrasques déchirent les nuages et des trombes d'eau se déversent sur les menhirs et les dolmens se dressant vers le ciel dans une ambiance lugubre. Je rêve d'une trêve de bière noire dans l'arrière-salle d'un pub, auprès d'un feu de tourbe.

– Quatre pubs, tu dis.

– Ouais. C'est pas gros…

Ici, l'importance des communautés se mesure aux gallons de bière consommés. Le pub en Irlande est plus qu'un art de vivre : c'est une religion. On s'y attable avec la même ferveur qu'on s'agenouille à l'église, et celui qui l'évite suscite des interrogations suspicieuses, comme les marginaux taxés de sorcellerie dans les temps médiévaux. Le pub, c'est la vie. On ne se tient pas à l'écart de la vie, cela n'aurait aucun sens ! Cette règle non écrite me convient parfaitement. J'ai été élevé dans les Cantons-de-l'Est, au cœur d'une province façonnée par des centaines de milliers d'immigrants irlandais. Tout ici – musique, nourriture, ambiance franche et virile – me rappellerait mon enfance, n'était cette pluie sauvage et persistante qui me transperce les os. Après plusieurs années d'abstinence en terres africaines, je m'étonne moi-même de la rapidité avec laquelle j'ai repris goût à l'alcool. Sans doute parce qu'il est en Europe le pivot des relations sociales, l'élément indispensable pour qu'un semblant de convivialité s'instaure… Dans le plus vieux pub d'Irlande, Tony m'interpelle : « Entre ! Tu es en train de réaliser mon rêve ! » Le violoneux accompagne les bavardages des Irish, *« Slansha ! »* Et les pintes de Guinness frappent, et nous buvons avant de recommencer. Je traverse l'Irlande de fêtes en chansons, marchant rapidement de pub en pub (aussi vite que l'accent du Nord) jusqu'à Belfast où j'embarque sur un traversier qui m'emmène à Glasgow.

Mon fils m'y attend.

Il débarque sous le crachin, équipé d'un seul sac à dos. Thomas-Éric. Il a tellement changé que j'ai peine à le reconnaître, avec sa barbe fournie et son assurance toute neuve de jeune adulte. Je me rappelle notre première rencontre sur les plages du Costa Rica, lorsqu'il s'était ouvert de son désir de voyages… C'était il y a cinq ans. Il vit aujourd'hui en Allemagne, dans le bouillonnement artistique de l'est de la capitale. Il est venu marcher avec moi, du mystérieux Glasgow en passant par la charmante Édimbourg jusqu'aux ruines du mur d'Hadrien. Et nous buvons, bien sûr : « Donne à mes amis canadiens le meilleur des scotches. Non… Celui-là, à droite, sur l'autre tablette. »

Je garde de ces jours le souvenir puissant d'un immense privilège. Sur la route, nous parlons, parlons, parlons encore, comme pour rattraper le temps, comme jamais nous ne nous l'étions permis dans notre vie d'avant. Mon éloignement nous a rapprochés en nous permettant de vivre comme au milieu d'un rêve, sans contraintes ni obligations, libérés de nos chaînes. Je m'amuse de ses angoisses – qu'allons-nous manger, où allons-nous dormir ? Je réponds en riant : « Qu'importe ? Chez un habitant, sous un pont… Nous sommes libres, Thomas-Éric. Regarde : c'est ça, la liberté. Celle dont tout le monde parle, je suis en train de la vivre. Comprends-tu ? » Il comprend. Et je crois qu'il apprend, aussi. Et moi son père, qui n'ai rien à léguer ni à transmettre, je suis heureux de pouvoir partager avec lui cette expérience unique, celle d'une vie ouverte aux autres et ancrée dans le présent, sans planification. Ses études viennent de s'achever, et avec elles sa vie privilégiée d'étudiant insouciant. Je sens déjà le stress s'installer en lui – insidieusement, mais je n'ai pas peur. Il sait désormais qu'il existe d'autres chemins possibles.

Nous nous séparons avec la promesse de nous retrouver bientôt en Allemagne, et je poursuis ma route au sud, vers l'Angleterre. Je célèbre ma sixième année de marche dans le Lincolnshire, dans l'atmosphère étrange d'un vieux pub de Sleaford. Assis devant un copieux *haggis* sous les sombres lambris de la salle principale, je regarde la pluie couler sur les carreaux. Non loin d'ici, le Lincoln Castle a servi de tribunal et de prison pendant presque mille ans. Des fantômes doivent encore virevolter alentour… Je m'enquiers : « C'est un vieux pub, ici ? » Le patron campe fièrement les deux poings sur ses hanches : *« 1672, sir. »* Puis il me propose : « Tu peux dormir ici. Mais tu dois savoir… » Son pub, m'explique-t-il à voix basse, héberge des fantômes. L'une s'appelle Alice, l'autre Ernest, un boucher mort en 1926 d'étrange façon. « On entend parfois du bruit dans la cuisine, un couteau qui tombe… Il cherche ses ustensiles. Mais cela ne nous dérange pas, ils ne sont pas hostiles. » L'Angleterre chérit ses revenants comme membres à part entière de ce pays fantasque, baigné d'une atmosphère de mystère et de magie. J'aime ce peuple qui croit aux fantômes et aux sorcelleries. Je sais qu'il garde en lui une étincelle d'enfance, brillante et éternelle, qui le protège à jamais du cynisme.

Je traverse la campagne rangée bordée de jolies maisons normandes jusqu'aux rives de la sinueuse Tamise. David Pritchard me reçoit dans son quartier coloré. Nous nous étions rencontrés trois ans plus tôt, au Malawi, où il faisait un safari. Dans ce quartier de Londres se mélangent toutes les ethnies du monde. J'en suis impressionné, et je dis à David: « Mais vous êtes en train de vous faire envahir ! » Il répond froidement, comme un vrai British : « Oui. Nous avons colonisé le monde, maintenant le monde nous colonise. »

Je traverse la Manche de Douvres à Calais, et franchis début septembre la frontière de la Belgique. Dans les villages, entre les prairies gorgées d'eau, des meubles et des tapis sèchent devant les maisons… Le pays vient de connaître ses pires inondations depuis plus d'un siècle, le bilan des dégâts domine les conversations le soir à la taverne. Grands tracas, rires et drames, la vie s'écoule doucement dans l'Europe opulente et rapide. Je me sens moi-même l'esprit particulièrement libre: sans choc culturel à affronter, loin de tout exotisme, je rentre en moi-même et consacre de longues heures à l'introspection. Il y a quelques semaines, à Lincoln, j'ai symboliquement atteint la moitié de mon voyage, et s'il me reste encore plus de cinq années de marche, une demi-planète à parcourir, j'avance désormais sur le chemin du retour. Avec Internet, je parle à Luce presque tous les jours, qui en bondit d'excitation… Nous avons cessé de nous interroger sur le sens de ma marche. Nous la vivons, voilà tout. Récemment pourtant, un message reçu *via* le site Web retraçant mon itinéraire l'a troublée: « Je me demande à quoi sert cette marche, sinon user des souliers », s'indignait une dame dans un courrier amer. J'aimerais pouvoir lui répondre: essayez! Sortez les dizaines de paires de chaussures qui dorment dans vos placards, portez-les, usez-les, allez voir comment votre monde est beau. Partez vous explorer vous-même et revenez avec mille trésors. Découvrez-vous d'un autre point de vue, vivez l'expérience de raréfier la présence de ceux que vous aimez. On ne devrait jamais parler de développer notre tolérance envers les autres, mais plutôt se dire qu'il est intolérable de seulement se tolérer…

Dans un café, non loin de Bruxelles, je m'apprête à envoyer cette réponse à Luce lorsque j'aperçois un message en attente. Nous nous sommes parlé hier matin, pourtant… Je l'ouvre.

Mon père est mort.

Cela s'est passé le soir, le 10 septembre 2006.

Le temps s'arrête. Cette nuit-là, je me recueille longuement, étendu sous ma tente, insensible aux bruits de la circulation et au froid qui me transperce. Je reprends la route aveuglé par un épais brouillard, perdu en moi-même.

De longues barges remontent le canal de Willebroek de Bruxelles à l'Escaut comme de fines flèches d'argent. Un pont levant scintille dans le soleil. Je me souviens que mon père m'avait parlé d'un pont : un inconnu lui avait dit que son fils allait traverser le monde comme sur une arche d'or. Aujourd'hui, au Québec, maman mettra ses cendres en terre… J'ai le sentiment étrange qu'il marche auprès de moi. Il y a plus d'un an que je lui ai parlé, depuis Alexandrie, pour la dernière fois. « Je n'en ai plus pour longtemps, m'avait-il dit déjà. Quand cela arrivera, je ne veux pas que tu reviennes pour un tas de cendres. Continue, marche ! Je t'accompagnerai enfin, comme je l'ai toujours voulu, au lieu de croupir dans ce lit d'hôpital… »

Je l'emmène avec moi sur les routes de Hollande, et je lui parle, comme mon fils m'a parlé dans les collines d'Écosse. À ta santé, mon père ! Nous ne nous sommes rien dit, pourtant je sais qu'entre nous aussi, la parole s'est libérée, et que ma liberté est devenue la tienne.

LE PETIT CHEVAL

2 octobre 2006 – 19 novembre 2006

→ **ALLEMAGNE** →

– Pourquoi les Allemands ne me reçoivent-ils pas ?

– Ne va pas chercher le mal… Ils ne te voient pas, tu sais. Tout simplement. Ils ne te voient pas.

Dans un étroit café du centre-ville d'Uelzen, en Basse-Saxe, nous attendons avec Terry l'ouverture des boutiques. Nous nous sommes rencontrés la veille, dans la petite salle commune d'un centre pour sans-abri. Il lisait un roman de Thomas Mann, je ne saurais dire lequel n'ayant pas compris le titre. Depuis mon entrée en Allemagne, j'ai souvent passé la nuit dans ces centres d'une propreté irréprochable, gérés avec méthode comme de parfaites pensions de famille. Les hôpitaux, les pompiers ou la police m'y envoient lorsqu'ils ne disposent pas eux-mêmes de ressources à me fournir. « C'est l'automne, tu sais… », semble s'excuser Terry, visiblement contrarié à l'idée que je puisse juger son peuple inhospitalier. « Les gens rentrent tôt chez eux et ne ressortent plus. Mais si tu les croisais, ils t'accueilleraient sûrement… » Étonnant petit homme aux manières raffinées, qui laisse poindre sous sa barbe hirsute un sourire mélancolique… Je n'ose lui demander d'où il vient ; sa pudeur l'empêche de me le révéler. Je comprends qu'il a voyagé lorsqu'il me décrit le système social qui lui permet de survivre. Les États-Unis n'ont aucune structure étatique, mais les gens se soutiennent entre communautés. Ici, c'est l'inverse : il est pris en charge par les services compétents. « Mon seul vrai problème, ce sont les toilettes – c'est trivial, mais c'est ainsi. Il faut payer 50 centimes d'euros. Alors je me cache dans les branchages, près de la voie ferrée… » Je devine à son air tragique que cette obligation représente pour lui une terrible humiliation – pire que la faim, le chômage, pire même que son statut de sans-abri. Dans les sociétés les mieux organisées, l'indignité se cache dans ces détails sordides. Alors qu'il s'éloigne sur le trottoir en retenant de la main gauche son pantalon trop grand, je me sens moi-même soudain assez misérable. J'ai mal aux pieds, mon vieux chariot poussiéreux bringuebale sur les pavés après avoir traversé toute l'Afrique, pourtant le plus beau des trésors m'attend dans quelques jours : je vais rencontrer mes enfants à Hambourg. Je ne l'ai pas dit à Terry, comme si ce bonheur, que je possède sans avoir rien fait pour le mériter, me faisait parfois honte.

Je décide de changer ma route. Je n'irai pas à Saint-Pétersbourg. Je me sens trop vieux pour affronter les hivers danois, suédois, finlandais… Après Berlin, j'obliquerai vers le sud, tout droit sur la Turquie, vers Dresde et Prague, vers la Grèce. J'aurai froid sans doute, mais j'éviterai la neige. Je marche sur la route bordée de forêts denses et de larges pistes cyclables comme sur un tapis rouge. Que je dorme en prison – les plus propres que j'aie jamais vues, sous un pont ou dans les sous-bois, j'ai le cœur illuminé par ces prochaines retrouvailles. Au point de toucher les employés charmants des institutions qui me bichonnent et m'épaulent dans les villes et villages. Ce peuple parallèle de pompiers, de policiers, de travailleurs sociaux me reçoit avec chaleur, se faisant un devoir de me trouver un gîte. Je vois dans ces structures la même organisation, la même force que j'ai lue dans le regard intelligent de Terry, et à mon tour je goûte le privilège d'être traité comme un enfant de cette grande Allemagne, à la fois dure et maternante, sévère et juste.

Mon fils Thomas-Éric, qui en est amoureux, semble s'être imprégné de cette culture de l'ordre à mon plus grand profit.

Lorsque je le retrouve, une poussette flambant neuve m'attend, ainsi qu'une garde-robe complète offerte par une célèbre boutique de plein air allemande. Je découvre Berlin à travers son regard, celui d'une jeunesse émerveillée par ce bouillonnement d'art. Il me raconte les squats d'artistes, les vernissages, les soirées clandestines organisées à l'Est où l'on accède par un mot de passe… Il me parle de ces artisans qui, pour parfaire leur apprentissage, parcourent le pays pendant trois ans et un jour, n'emportant que le contenu de leur sacoche, vivant humblement du travail de leurs mains et de la charité des gens. Il me montre les ruines du Mur et les nombreux bâtiments abandonnés disparaissant sous les graffitis dans une explosion de couleurs expressives, comme si chacun, dans ce monde millimétré, cherchait un espace libre où crier un message. Puis enfin, le 30 octobre, nous prenons un train pour Hambourg.

À travers la vitre de l'aéroport, je vois ma fille Élisa-Jane traverser le tunnel, tenant par la main une enfant fluette, cramponnée à son sac à dos. Laury a cinq ans, tout habillée de rose. Je m'agenouille et elle me contemple, un peu impressionnée, et tandis qu'elle s'approche doucement, j'arrive à accrocher son regard sombre. Je la touche, délicatement… Elle me semble si petite que j'ai peur de la briser en la serrant dans mes bras. Puis soudain c'est elle qui me saute au cou, et j'entends au loin, à travers un brouillard, éclater le rire d'Élisa. Elle rit ! Elle va rire sans discontinuer, à gorge déployée, tout au long de ces huit jours… En serrant Laury sur mon cœur, je pense à l'« ange gardien », à l'ami qui a permis cette rencontre, un Français du nom de Michel Hughes originaire d'Aix-en-Provence. Il voyage tant, Michel, qu'il connaît la douleur des longues séparations. Et il a le cœur si tendre, Michel, qu'il a voulu me rendre ma famille avant même que je le rencontre… Lorsque je suis arrivé chez lui, six mois plus tôt, Luce m'attendait dans sa maison. Il avait lu mon histoire dans un journal quelconque au fil de ses voyages, et elle l'avait touché ; il me faisait le cadeau d'une semaine d'amour. Un soir, il m'a confié qu'il ne pouvait concevoir que je n'aie jamais vu ma petite-fille… Il est si généreux, Michel, que cela le faisait souffrir. Alors il a payé les billets d'avion.

Ce 30 octobre, à moitié couché entre les valises sur le carrelage de l'aéroport, je suis subitement submergé d'amour. Les jours suivants, c'est à peine si nous quittons l'appartement de Thomas-Éric pour quelques brèves visites des beautés de Hambourg. Je n'ai d'yeux que pour mes enfants, de paroles que pour eux, je m'en abreuve comme à une source. Je passe de longues heures à jouer avec Laury, des temps de rien, des temps de rire. Nous faisons manger son petit cheval sans penser à demain. J'ai tellement manqué d'elle, de son enfance, et pourtant je n'ai pas de regrets.

Lorsque nous nous séparons, j'emporte avec moi une parcelle de cette enfance, et le petit cheval de Laury fixé sur mon chariot. Il y restera, jusqu'au bout.

LE MOYEN-OCCIDENT

20 novembre 2006 – 6 mars 2007

→ RÉPUBLIQUE TCHÈQUE → AUTRICHE → SLOVAQUIE → HONGRIE → SERBIE → MACÉDOINE → GRÈCE →

C'est le pays du miel et du sang. Terre de rencontres, d'échanges et de voyages entre l'Occident et l'Orient, étroit goulet de plaines riches et de montagnes arides, foulées au fil des siècles par tant de migrateurs qu'on a perdu la mémoire des premiers habitants. Pays de guerres et de souffrance à la croisée des mondes, constellation de peuples éclatés en confettis de nations aux cultures mouvantes. Je ne connaissais rien des Balkans… l'Histoire m'a sauté au visage, avec ses luttes sanglantes conduites au nom de la paix. Mais la paix des uns se heurte à celle des autres, car elle ne peut éteindre les passions collectives les plus fondamentales: le désir de puissance, et la peur de disparaître. En traversant la Serbie, cet hiver 2007, je découvre qu'il existe certains endroits, dans le monde, qui ne connaîtront peut-être jamais plus la paix…

Je franchis la frontière un matin de janvier, premier jour de l'année orthodoxe. Mes derniers jours en Hongrie m'ont permis de m'acclimater au froid et aux coutumes locales, valse légère de danses et de repas chaleureux copieusement arrosés de schnaps. La pauvreté, pourtant, est ici très marquée, conséquence de la guerre et des années d'embargo imposées par l'ONU. Dans les champs bordant la route, des paysans manient herse et râteaux devant un vieux tracteur MF35 à l'arrêt. C'est sur cet engin que j'ai appris à conduire dans les années soixante, à la ferme de mon père… Un petit tracteur à deux roues pétarade dans le lointain, traînant un vieillard juché sur un banc de charrette. Je jurerais voir mon oncle Émile s'en allant disperser le compost sur cette antique machine. Une odeur de charbon monte des bâtiments de brique aux toits de tuiles en pagaille. Des chiens aboient derrière les clôtures, les poules picorent en s'ébattant parfois dans une musique tranquille et familière. Je croise quelques hommes montés sur des motocyclettes grinçantes affublés, pour unique protection, de vieux casques de construction avec des visières de meulage. Cette région de Vojvodine a longtemps appartenu au royaume de Hongrie, et beaucoup me parlent avec espoir de leur possible intégration à l'Union européenne, qui les rapprocherait de leur mère patrie. Deux pays frontaliers, la Roumanie et la Bulgarie, ont rejoint l'Union il y a quinze jours à peine, laissant aux Hongrois de Serbie le sentiment amer d'être tenus à l'écart de leur propre famille. L'environnement hétéroclite rappelle les influences passées : de vieilles Lada des Soviets communistes et des Renault 5 roulent entre les ruines laissées par l'envahisseur ottoman au-dessus de vestiges romains. De loin en loin, une charrette aux roues de bois cerclées de fer passe en cliquetant sur le bitume, son conducteur se découvrant devant le parvis d'une église chrétienne. Dans un village, je rencontre Michkou qui m'invite à manger, avec son ami Grégory pour servir d'interprète. Son accueil est pressant, englobant, comme s'il voulait exprimer sa gratitude envers cet étranger prêt à sourire aux Serbes à la réputation sulfureuse, boudés depuis des décennies. Devant un pied de cochon, il m'explique, gêné, qu'il est vidangeur de fosses septiques. « Il n'y a aucune honte si ton travail est bien fait », je lui réponds. « *Nazdrovia !* », nous trinquons longuement, et à la fin du repas, Michkou me tend un papier griffonné de son numéro de téléphone. « Si tu as un problème, avec n'importe quel groupe, tu m'appelles. J'ai toutes les armes pour te défendre. » Quelques semaines plus tard, je rirai à ce souvenir en entendant ces mots pour la quatorzième fois. Je suis protégé par tous et contre tous, dans ce pays ! Même Michkou, pourtant, se lamente de cette violence. Il évoque la misère du Kosovo voisin, l'éclatement de l'ex-Yougoslavie en sept pays distincts, l'extrême complexité des rapports entre communautés... Un simple accrochage entre les enfants, assure-t-il, peut dégénérer en guérilla locale. « Les gens n'arrivent plus à accepter le bonheur », commente Grégory, le regard triste. « Ils se lèvent le matin en se haïssant eux-mêmes, alors forcément, ils haïssent les autres. Et les enfants grandissent dans ce climat de violence. La corruption est partout. Avec 80 euros de salaire par mois, on est obligé de trafiquer pour vivre, tous, du plus petit au plus grand. Et dans cette ambiance, c'est difficile de se faire des amis... » Il s'ennuie tant des étrangers, Grégory, que je peine à me sortir de ses griffes aimantes. Je repars lesté de deux kilos de charcuterie, l'âme touchée par leur terrible solitude.

Je marche le long de la rivière Tisza, qui se jette dans le Danube quelques kilomètres en aval. Partout on me crie « *Welcome !* ». Stephan qui caresse un projet de marina sur les rives du fleuve, Gradimir le contrôleur slave chantant et plaisantant en famille sous l'autorité de la matriarche, la vieille Mme Leposaba, un strict foulard noir noué sous le menton, Shimrak fabriquant des cercueils, sa femme qui possède un salon de coiffure, et nous parlons des heures devant les pièces de porc qui tournent sur les braises à l'avant des maisons, mêlant leur arôme à celui du schnaps que je ne peux refuser, parce que cela offusque. Trop de gentillesse, trop de nourriture, trop d'alcool ! Voilà la Serbie que je découvre. Je ne vois qu'anges, et pourtant le diable est là, tapi dans les cœurs... Un jour, alors que nous plantons un arbre pour la paix dans la cour de récréation d'une école où j'ai parlé de ma marche, un petit garçon s'approche.

– Pourquoi on plante cet arbre ?

Le professeur lui explique :

– C'est un symbole de paix pour notre pays, et en grandissant il deviendra fort. Maintenant il est fragile parce qu'il est petit. Vas-tu le protéger ?

– Oui, je protégerai ce petit arbre, répond le gamin avec conviction. Si quelqu'un veut l'abîmer, je lui casserai la gueule en mille miettes à coups de poing !

Je descends vers Niš, la ville la plus ancienne des Balkans, en suivant l'ancienne route impériale qui jadis reliait Rome à la province de Dacie, sur le territoire de l'actuelle Roumanie. Le froid jette sur la route de lourds flocons de neige que les enfants s'amusent à attraper, courant entre les poules autour des puits couverts de fins treillis de bois. Le souvenir de Soliman le Magnifique, qui conquit le bastion chrétien de Belgrade, s'accroche en haut des toits, bousculant ceux des voyageurs venus d'Inde, de Turquie, d'Asie centrale, de la Perse, de Byzance, de la Grèce... qui empruntèrent cette route chargés de marchandises provenant d'Afrique du Nord, de Chine ou d'Éthiopie et destinées aux populeuses tribus de l'Europe du Nord. J'imagine ces commerçants progressant lentement en longues caravanes, procession colorée d'étoffes orientales mêlées aux hardes terreuses des esclaves guidant les bœufs attelés à de lourdes charrettes débordant d'épices, de tissus, de tapis précieux. Dans leur sillage, sans doute, dansaient les robes tourbillonnantes des gitanes, quelques voleurs, des prêcheurs s'écartant vivement au passage des messagers à cheval. Les antiques demeures qui bordent le chemin ont-elles tellement changé ? À certains endroits, les céréales s'entassent encore sous le toit de chaume descendant des maisons qui leur sert de grenier, le foyer jouxtant une étable semi-ajourée protégée de la route par une clôture de bois tissée de longues branches séchées. Dans les villages, les pointes flamboyantes des clochers déchirent l'azur à côté des dômes rouge et or des églises orthodoxes. En fin d'après-midi, sous un ciel tourmenté, je fais halte au restaurant neuf et rustique du village de Deligrad, niché au creux d'une plaine bordée de douces collines. Zoran tranche une belle part de jambon qu'il m'offre avec du pain et de la bière. « Mange bien. Après je fermerai, tu dormiras chez nous. » Il me présente sa vieille mère, bien vivante, et toute son ascendance accrochée dans des cadres vacillant sur un mur autour d'une vieille horloge. Un feu brûle dans la cuisine, mais les chambres sont glaciales et je m'endors grelottant sous d'épaisses couvertures. Le lendemain matin, Zoran me fait visiter sa ferme, constituée d'un poulailler, d'une petite porcherie, d'un abri à charbon et de planches ajourées où sèche du maïs. En rejoignant son restaurant à travers le village, j'aperçois au loin une chapelle, entretenue avec soin, perchée sur une colline portant encore les traces de tranchées et de palissades. Zoran m'explique que cet endroit fut le théâtre d'une bataille importante, en 1806, lors du premier soulèvement des Serbes contre les Turcs après plus de trois cents ans d'occupation ottomane. Deux mille vaillants insurgés auraient alors vaincu les soixante mille soldats alignés par les Turcs. À l'intérieur de la chapelle, un candélabre d'épées et de balles de fusil surmonte une crypte remplie de crânes et d'ossements de combattants. La légende raconte que lorsque les tranchées ont été creusées, le grand-père de Zoran, un athlète accompli, parcourait la région en sautant par-dessus les fossés. Les tranchées étaient élargies jusqu'à ce qu'il échoue : aucun Turc n'a jamais pu passer. Près d'un siècle plus tard, Zoran semble porter l'Histoire comme s'il l'avait vécue. Les membres de son peuple, me dit-il, sont les derniers soldats de la chrétienté, et avec peu de moyens ils parviennent à contenir les forces invasives du Moyen-Orient. Comme ils se battent, ils sont mal appréciés des pays de l'Ouest et souffrent de mauvaise réputation. « Mais nous sommes aux avant-postes. Si nous tombons, ce sera l'invasion... »

Après ces paroles graves, je l'accompagne au magasin général où les hommes du village se retrouvent pour rire, se détendre et échanger les nouvelles de la terre et du pays serrés autour du poêle. Je les quitte en leur souhaitant la paix.

Je traverse des paysages agricoles figés dans l'hiver sans neige, alternance d'herbes sèches et de rectangles de labours bruns se mêlant en faux damier sur un fond montagneux. Plus loin, après un cimetière d'engins militaires abandonnés au bord de la route, la vie reprend dans les villages où de vieilles dames m'envoient des sourires de la main. Le paprika sèche devant les maisons séparées par la route de l'auge des cochons. Je me sens grippé, fiévreux, mais il faut que j'avance ; l'essieu de ma poussette montre des signes de faiblesse, j'espère trouver à Niš quelques pièces de rechange. Alors que j'approche de la ville, une camionnette s'arrête, et un homme affublé d'une épaisse moustache grise me lance en français : « Embarque avec moi ! » Ma roue est désaxée et sur le point de lâcher… J'accepte. Milo va arranger ça, dit-il, il a beaucoup d'amis. En chemin, il m'explique qu'il a été, autrefois, un joueur de soccer en vue, recruté par un club français. Avec sa famille, il possède un café-pâtisserie très bien situé dans le centre-ville de Niš, où il vient également de créer une biscuiterie industrielle. Sa formidable énergie me requinque aussitôt, et je le félicite pour sa prospérité. « Tu vas voir, sourit-il, j'ai un ami qui te tournera un axe en alliage plein, ton essieu ne se brisera plus jamais. » Je visite la ville en compagnie de sa fille, pendant que Milo se charge des réparations. Le temps est magnifique, et mon cœur se réjouit à l'idée de retrouver bientôt la chaleur du soleil. Dans six jours, je serai en Macédoine, et dans douze jours, en Grèce. Je quitte Niš avec une liste d'amis de Milo qui me recevront, jure-t-il. Il a beaucoup d'amis, Milo, me répète-t-il encore. En passant devant le pont rutilant qui a remplacé celui bombardé par l'OTAN, je me dis que Milo a de la chance. Il est du bon côté de la vie. Il se « débrouille ». Il a des « amis ». Je passe à un jet de pierre de la frontière du Kosovo, entourée de bâtiments appartenant à des ONG. Elles tentent, me dit-on, de convaincre les différentes parties de s'accepter. Et si elles échouent, au moins peuvent-elles servir d'éléments stabilisateurs dans cette région troublée. Très concrètement, les brutes hésitent à égorger leurs voisins sous le nez d'observateurs internationaux… Stella, responsable d'une ONG locale, ne les aime pas, ces « humanistes » touchant des salaires indécents pour les locaux. « Comment veux-tu que les pauvres se fient à des groupes qui viennent faire fortune dans leur zone de misère ? »

À dix heures trente, à la veille de passer la frontière, la sonnerie du téléphone me réveille. C'est Milo. Il veut savoir où je suis, et si tout va bien. « Ne t'inquiète pas », je lui réponds. Il insiste : « Si tu as un problème, appelle-moi. J'ai beaucoup d'amis… »

ENTRE TROIS MONDES, D'ISTANBUL À TBILISSI

7 mars 2007 – 29 juillet 2007

→ TURQUIE → GÉORGIE → AZERBAÏDJAN →

Des montagnes, des montagnes... À perte de vue. Je m'enfonce vers l'Asie en longeant la mer Noire, suivant la chaîne Pontique qui traverse la Turquie d'ouest en est en une série de chaînons montagneux de plus en plus élevés. À ma droite, de longs filets d'eau dévalent en cascade les flancs du relief, éclaboussant de loin en loin quelques maisons neuves entièrement décorées de fines mosaïques orientales. De l'autre côté, vers la mer, de vieux cabestans de bois attendent les bateaux de pêche sur une plage de roches. Le printemps jette des fleurs entre les palots de bois qui retiennent les fourrages dans les prés verdoyants encerclés de forêts. La beauté de ces paysages me couperait sûrement le souffle, si la route escarpée ne s'en était chargée... Couché sur ma poussette, je souille ce décor de carte postale en crachotant mes poumons, suffoquant dans l'effort. Voilà des semaines que je marche sur le dos de ces montagnes, poussant mon chariot dans des côtes interminables et contraint de le retenir dans de pénibles descentes. Monter, descendre. Monter, descendre. Je n'en peux plus. L'épuisement rend ma mélancolie presque insupportable.

En franchissant début avril le détroit du Bosphore qui sépare les continents européen et asiatique, j'ai ressenti comme une déchirure. Je laissais derrière moi Luce et ma mère, venues toutes deux me retrouver trois semaines à Istanbul. Mais surtout, je posais le pied une nouvelle fois sur un continent gigantesque, avec le sentiment décourageant que je n'en verrais pas le bout. Encore quatre ans de marche, quatre années d'efforts et de détermination, loin des miens, loin de mon horizon, et tout cela pour quoi ? Une promesse ? Promesse d'imbécile, je pense, m'écorchant le pied sur un caillou. Et j'ahane de plus belle, m'éreintant dans l'effort. Je me suis moi-même jeté dans cette absurdité, dans cette mer de montagnes qui court à l'infini, monte, descend, monte encore, des semaines ! Tout ce qui compte maintenant, c'est de finir cette marche proprement. C'est tout. Alors j'avance, bêtement, la tête basse, tel un âne tirant sa charge. J'essaie de me persuader que les beaux moments reviendront.

Les villages traversés m'apportent des distractions bienvenues. Ici les valeurs occidentales se mêlent aux traditions arabes, et j'ai de la peine à définir l'identité de ce peuple turc sillonné au fil des siècles par tant de courants migratoires. Le long des rues et des boulevards, des séries de panneaux retracent les temps forts du règne d'Atatürk, dont le portrait s'étale absolument partout : son léger sourire paternel apparaît sur d'immenses banderoles déroulées sur les édifices, dans les parcs, les cours des écoles, à l'intérieur des maisons… Il est l'« Incontestable », apparaissant très droit dans une tenue soignée à la mode occidentale. Sa représentation a plusieurs visages, comme si elle répondait, suivant l'âge ou le jour, à l'humeur de chacun : tantôt martial, sévère, tantôt débonnaire, entouré de femmes et d'enfants… On l'aperçoit parfois les cheveux relevés en arrière en une petite couette descendant sur la tempe au coin d'un œil au regard en biais. Ce père fondateur de la Turquie moderne, immense réformateur qui rompit avec l'impérialisme ottoman, imposa la république, la laïcité et le droit de vote des femmes avec le concours de l'armée, utilisée ici comme une force au service du progrès social. Pour préserver son héritage contre les poussées extrémistes, ses successeurs ont eu l'intelligence d'organiser autour de sa mémoire un culte de la personnalité délirant qui perdure encore aujourd'hui. Chapeau, les Turcs ! J'en suis impressionné. Ce père de la nation incarne l'idéal de votre peuple, vœu puissant et fragile de progrès et d'égalité. Sans lui, la Turquie serait peut-être aux mains des islamistes. Mais à quel prix faut-il accepter d'imposer certains éléments de liberté ? Il y a deux choses qu'on ne détruit pas, ici : l'image d'Atatürk, et le drapeau du pays. On dit que tout manque de respect à l'une de ces icônes peut entraîner la peine de mort. Et tant que l'armée veille, personne ne s'y risque...

Les hommes me crient « Allo ! » en signe de bienvenue, puis font tourner leur doigt dans un mouvement de cuillère pour me proposer du thé. *« Çay, çay »*, chantent-ils en souriant, offre que je décline souvent, sinon je n'avancerais plus. Je trouve leur langue agréablement mélodieuse, elle sonne le centre de l'Asie mêlée de notes ouzbeks, arabes, persanes, roulant le murmure lointain des steppes de Mongolie. Ce mariage original d'influences arabe et européenne laisse une curieuse impression d'ordre poétique. Les maisons accrochées au flanc de la montagne allient ingénieusement tradition et modernité. Construites en bois, couvertes d'un toit de lourdes plaques de pierre, elles se divisent en deux étages distincts et très bien isolés. Le rez-de-chaussée forme une étable occupée par quelques têtes de bétail, mais des matériaux modernes protègent parfaitement l'étage habité des odeurs de ferme. Tout est propre, ordonné. Sur les marchés, les grains, les huiles, les produits de la pêche s'exposent aux passants dans un alignement impeccable. Sur la côte, la préparation de la saison estivale bat son plein, on nettoie les plages et les bateaux de pêche... L'influence du Nord semble portée par la mer. Au bord de la route, deux dames caucasiennes me sourient de leurs yeux bleus en écossant des petits pois ; j'ai l'impression que l'Ukraine et la Russie me saluent par-dessus la mer Noire.

Je fais halte auprès d'une fontaine jaillissant au bord de la route et prends le temps de baigner mes pieds endoloris. Ces montagnes sont éprouvantes, au point que les forces me manquent parfois pour rejoindre le prochain village. J'installe mon campement à l'ombre des conifères et m'endors comme une souche, rêvant de sommets et de collines se bousculant dans une ronde de montagnes russes infernales. Mon profond désarroi affecte mes réflexes, et une fois de plus je me surprends à sous-estimer mes provisions. Des bûcherons m'offrent pain et fromage que je glisse dans mon chariot. Je marche, je monte et je râle. La fatigue me rend imprudent; je ne veux plus me charger, j'ai l'impression de pousser une enclume. J'ai quitté le Canada avec trente-cinq kilos de matériel, et ma poussette en porte aujourd'hui cinquante! Je n'ai pas pu m'empêcher de collectionner des choses. Un petit marteau pour m'aider à planter les piquets de ma tente, quelques outils, une deuxième pompe à pneus, une paire de jumelles… J'essaie de me détacher du monde matérialiste, de limiter ma dépendance aux objets, mais ils me recollent avec le temps. Je me maudis intérieurement… Je garde quand même mon petit marteau. Car la réalité, c'est que je l'aime d'amour. Je me sentirais perdu si je m'en séparais, il me procure tant de joies… comme un doudou d'enfant, un pansement à l'âme. Je préfère encore manquer de conserves.

En marchant, comme je n'ai rien d'autre à faire, je me demande si mon rapport à ce marteau est de la même nature que cette pulsion qui pousse les hommes à accumuler des biens. Est-elle innée ou culturelle? On me parle souvent, dans cette Turquie prospère aux mœurs occidentales, de la pauvreté du sud-est kurde du pays, où les traditions appauvrissent des familles souvent polygames forcées d'entretenir une vingtaine d'enfants. Mais ces situations extrêmes peuvent-elles justifier qu'on se jette à corps perdu dans les excès inverses ? À Istanbul, j'avais été frappé par le luxe inouï des toilettes d'un petit restaurant très moderne, où les mains n'avaient besoin de toucher à rien : lumière automatique, cuvette protégée d'un plastique déroulant, poubelle et lavabos actionnés d'un simple effleurement de l'air par des détecteurs de mouvement. Le capitalisme moderne impose une lutte factice et ridicule entre ces deux extrêmes… Et les Turcs, dans tout cela ? Quelle voie choisiront-ils ? Un soir, dans le village d'Ayaz, un groupe d'amis me présentent à un vieil homme qui semble jouir dans la communauté d'un statut particulier. Il porte un gilet de fin lainage sur sa chemise turquoise. Une barbe blanche prolonge son visage émacié, à demi dissimulé par une capeline vert pâle. Il se nomme Yacoub Yashar. Lâchant d'une main son bâton, il saisit la mienne et m'entraîne vers sa maison. « Va, suis-le… », m'indiquent mes amis du regard, et je comprends que ce notable me fait le grand honneur de m'inviter à sa table. Je me prends aussitôt d'amitié pour cet homme aux manières simples et dignes. Sa maison tout en bois exhale une atmosphère intime et chaleureuse. Sur le mur, un tapis aux franges usées représente la Kaaba de La Mecque. Au fond de la pièce, une lourde bouilloire de cuivre, assise sur un poêle rouge de fonte émaillée, semble attendre le prochain hiver. Pendant que nous dégustons une soupe brûlante assaisonnée de citron pressé, son épouse dépose sur la table deux plats débordants de *köfte* de mouton accompagnés de légumes et de tomates. À la fin du repas, Yacoub verse avec cérémonie un long cordon de *chaï* ambré dans de fins verres en forme de tulipe. Ses enfants sont partis, me dit-il, et je pourrai dormir dans la maison voisine qui est désormais vide. Leur réussite fait sa fierté : certains vivent à Istanbul, d'autres en Allemagne, comme quatre millions de Turcs. Un lien étroit semble s'être noué entre ces deux cultures. Comme les dirigeants de son pays, Yacoub pense que l'Europe assurerait son salut… Ses enfants surfent sur Internet en écoutant de la musique rock, ses petites-filles portent des jeans et des minijupes. Ont-ils manifesté, comme des centaines de milliers d'autres jeunes il y a quelques semaines, contre l'islamisation du pouvoir ? Ce mouvement spontané pour défendre la laïcité a jeté dans les rues d'immenses foules de Turcs attachés à leurs libertés, donnant lieu aux plus importantes manifestations de l'histoire du pays. Je n'ose l'interroger, mais la paix tranquille de l'industrieux Yacoub me semble aujourd'hui menacée. « De plus en plus, nous devons nous battre pour conserver notre laïcité », m'ont confié des jeunes sur la plage.

Sur la route désormais en faux plat, agréable, je songe au destin de ces peuples à la croisée des mondes. Aux Turcs avides d'Europe et en même temps soumis à l'influence oppressante de leur puissant voisin iranien... Aux Géorgiens luttant contre le géant russe en se tournant vers l'OTAN et les Américains. Sur ces lignes de faille, l'Histoire jongle avec des identités mouvantes.

Mon visa turc expire bientôt, et j'ai maintenant hâte d'arriver à la frontière géorgienne. Il y a quelques jours, j'ai appris que la dictature turkmène ne m'autoriserait pas à traverser le pays. La seule solution, pour ne pas interrompre ma route, serait de passer par l'Iran. Mais cette théocratie n'accorde des visas qu'au compte-gouttes... Je quitte Arakli par un temps brumeux, chaud et humide. Je me reposerai en Géorgie de cette marche soutenue. Au sud, la neige couvre encore les sommets des Kaçkar Da ları qui culminent, près de la frontière, à près de 4000 mètres d'altitude. Plus bas, dans les collines, des femmes récoltent les feuilles de *chaï*, chargeant leurs sacs remplis sur de petits téléphériques descendant la montagne jusqu'aux sites des usines. Le vent venant de la mer a brusquement tourné, apportant depuis l'intérieur l'odeur sèche et boisée de la transformation du thé. Je boirai le prochain *chaï* en Géorgie.

Une semaine plus tard, mes souvenirs de Turquie se dispersent dans les vapeurs d'alcool. Quel contraste, quel choc ! En passant la frontière, l'Histoire, une fois de plus, m'a plaqué au sol. Dans cet ancien pays du bloc de l'Est aux routes défoncées, les femmes en minijupes évitent les types bourrés en sautant gracieusement au-dessus des ornières. Attablé devant une assiette de fromage fondu, j'essaie de suivre le maire du village chargé de dresser la liste des célébrités auxquelles trinque l'assistance. Et un coup à l'amitié entre la Géorgie et le Canada ! Cul sec ! Et un autre à la paix, allez ! On se lève, on trinque, on boit, et on remplit les verres. La vodka coule à flots et ça réchauffe de la gorge au duodénum. Il paraît que ces levées de verre peuvent durer jusqu'au chant du coq. Ça me fait peur… Zourab, le jeune homme chargé de l'information touristique de la ville de Sarpi, près du poste-frontière, m'a entraîné d'office dans cette célébration. Il a tellement bu ce soir-là que la mandibule de sa mâchoire inférieure s'est déboîtée ! Je n'avais jamais vu cela. Il l'a remise en place d'un coup sec tout en se resservant une vodka, et ensuite son visage semblait comme désaxé, ce qui avait tendance à améliorer son anglais. Je les quitte le lendemain avec une solide gueule de bois, tandis qu'ils trinquent à mon départ en braillant : « Bon voyage en Géorgie ! Bon voyage ! »

Une croix plantée en bordure du chemin m'informe que je pénètre en terre orthodoxe. Très bien, je le note. Au même instant, une camionnette antique me frôle en klaxonnant. Je frise l'arrêt cardiaque, et poursuis mon chemin dans la terreur de ces véhicules roulant comme des fous, slalomant entre les vaches couchées sur la chaussée. Je n'en reviens pas de ne croiser aucun cadavre ! La saison estivale commence à peine, et quelques vacanciers exposent leur peau pâle au soleil de la plage. À Batumi, au bord de la mer Noire, je rencontre Besic qui m'invite chez lui pour passer la soirée. Il possède un appartement dans un bloc hideux de l'ancienne

Union soviétique. Nous grimpons un escalier de béton usé aux murs sombres constellés de taches suspectes jusqu'à son foyer, modeste mais extraordinairement convivial et chaleureux. Les membres de la famille me saluent un à un pendant qu'en arrière-plan, le poste de télévision diffuse en noir et blanc un épisode tragique de *Dallas* traduit en géorgien. Autour de la table, nous trinquons à toutes sortes de souhaits dans des cornes de vache évidées, chacun à notre tour. Soudain Besic se lève et se met au piano, son fils Levar le rejoint, et nous dansons et chantons sur des airs folkloriques entraînants joués à quatre mains. Nous ressortons en bande, passablement éméchés, pour aller admirer le *Batumi by night*, un merveilleux spectacle de musique, jets d'eau et lumières révélant les beautés architecturales de la ville, la grandeur de la forteresse médiévale et des bâtiments impériaux faisant oublier, pour un instant magique, les immondes blocs de béton délabrés de l'Union soviétique. Ils résonnent pourtant de rires et de chansons, ces gros blocs. Dans les parcs, de belles jeunes filles moulées dans des tenues légères lancent des regards audacieux aux garçons aux yeux clairs. Ça sent l'été, l'alcool et les amours d'un jour. On dit que l'espoir du petit peuple géorgien augmente de décennie en décennie, modestement, à pas fragiles…

Le lendemain, en longeant le littoral vers l'extrême est de la mer Noire, je repense à toutes ces vodkas et vins avalés, aux invités, aux enfants, aux vieillards, aux gens disparus, aux amis, aux pays voisins, à la nourriture, et même aux ennemis de la famille parce que quand ils sont heureux, c'est l'euphorie. Et jusqu'au dernier verre où l'on trinque à la santé des grenouilles, des porcs… Ça doit leur faire drôle, aux Américains qui déferlent sur le pays depuis la fin de la guerre froide… Et lorgnent depuis Tbilissi sur les ressources énergétiques de la mer Caspienne, qu'ils pourraient atteindre au nez et à la barbe de la Russie. Les Géorgiens, ça les réjouit.

Les luttes territoriales avec leur puissant voisin ont entraîné combats et boycotts de produits, l'argent de la Banque mondiale alimente la corruption, et dans ce contexte misérable et troublé, la protection américaine apparaît à certains comme une bénédiction, puisque l'Europe dont ils se voient comme le berceau a l'air de s'en foutre comme de sa première colonie.

Dans la végétation verdoyante de ce paysage semi-tropical, je me sens détendu et prends le temps de parler aux habitants de cet ancien bloc de l'Est qui s'occidentalise lentement. J'apprends que les jeunes femmes, si elles montrent leurs atours, sont en réalité d'une grande timidité, les relations hors mariage restant quasiment impossibles dans cette société conservatrice et encore très religieuse. J'observe les enfants se baigner sur la jolie plage de Kubuleti. Si l'on peut encore lire dans les ruines de la ville la grande misère passée, les chantiers actuels font jaillir de riants hôtels le long du littoral, quelques belles villas, une clinique... Le propriétaire de Coca-Cola y ouvrira bientôt un complexe de luxe. Une « Riviera » géorgienne. Qu'il semble loin, l'idéal communiste... Il n'en reste que des ruines, plus nombreuses à mesure que je m'enfonce dans les terres. Dans la banlieue de Kutaisi, l'une des plus anciennes villes au monde, de vieilles Lada crachent leur fumée noire devant des dizaines et des dizaines de méga-industries à l'abandon. Sur la route escarpée des contreforts du Caucase, des camions aux roues désaxées me croisent en zigzaguant, et je les retrouve plus loin devant de petits kiosques où l'on vend de l'huile de moteur, le chauffeur bricolant son antiquité fumante. Parfois des policiers me rejoignent pour me servir d'escorte, mais s'en retournent après quelques jours, les facultés affaiblies. Je commence à souffrir des quantités d'alcool que je dois ingurgiter au nom de la politesse, dès le matin souvent, comme s'il pouvait soulager la vie dure qui est due... à l'alcool. Bref. J'observe quelques femmes au visage marqué et au regard sombre, et je comprends qu'en certaines circonstances, juste après mon départ, la fête dégénère en violence. Alors à la prochaine rencontre, on lève nos verres aux femmes et à ceux qu'on aime, ça console.

Après Tbilissi, je fais halte dans une région plus sèche, propice à la culture de la vigne. Entre les ceps se dressent de petites maisons de pierre et de brique recouvertes de toits de tôle ornés de fins ciselages. Kuçu et son épouse Marian, un sympathique couple de retraités, m'invitent dans leur demeure. Lui était ingénieur et elle biologiste à l'époque soviétique, ils ont travaillé en Ukraine, me disent-ils. Marian m'apporte une bassine d'eau chaude dans la salle de bains où aucun robinet ne fonctionne. Partout les systèmes d'aqueducs semblent défectueux, et il faut chercher l'eau aux puits ou aux fontaines, et la faire chauffer sur un réchaud à gaz. Les réseaux électriques rafistolés ne fonctionnent qu'en l'absence totale de vent, c'est-à-dire assez rarement. Je m'en étonne, mais cela ne semble pas gêner Kuçu et Marian, qui me régalent d'œufs brouillés, de fromages, de concombres et de tomates. Soudain le téléphone sonne, mais ils ne répondent pas. Ce n'est pas pour eux, m'expliquent-ils ; ils ont un téléphone commun au village, et chacun a sa sonnerie. Pour plus de prudence, mieux vaut prendre rendez-vous et s'appeler à des instants précis.

Je franchis le 29 juin la frontière de l'Azerbaïdjan, fébrile à l'idée de traverser bientôt l'Iran. Contre toute attente, le pays m'a accordé un visa d'un mois, et on m'assure que je pourrai facilement le prolonger lorsque j'aurai atteint Téhéran. Je longe les montagnes du Caucase au pays du *golden smile*, entre les puits de pétrole et les portraits géants du « président » Aliyev élu avec le score enviable de 88,73 % des voix. Ça, c'est de la république ! Le peuple pauvre, accaparant, semble tellement distrait par la visite d'un étranger qu'il me poursuit sans relâche, fouillant dans mon chariot, lisant ce que j'écris, le visage fendu de sourires béats dévoilant leurs dents en or.

J'arrive en Iran.

« L'empire du mal ».

Du moins, à ce qu'on prétend.

MILLE ET UNE LIBERTÉS DANS LA NUIT

30 juillet 2007 – 29 octobre 2007

→ **IRAN** →

Je traverse la frontière iranienne le 1er août 2007, et me trouve happé par un monde dont je n'aurais jamais soupçonné l'existence. De l'Iran, je ne connaissais que les images de femmes drapées de noir et les discours enflammés du président Ahmadinejad, claironnant au monde son antisémitisme délirant et son admiration pour Hitler. Je m'attendais confusément à entrer dans un pays-tombeau, peuplé de femmes-fantômes et de mollahs en prière. Je l'avoue, je souffrais d'une ignorance crasse... Sur la rive de la mer Caspienne, le climat subtropical de la ville frontalière d'Astara attire une foule de touristes iraniens qui se pressent dans les rues bondées et les bazars aux ruelles étroites débordant de vêtements, de légumes et d'épices. L'humidité retenue par les montagnes de l'Alborz fait éclater sur le littoral une végétation luxuriante de forêts et d'immenses rizières se mourant doucement dans la mer. La langueur des rivages et la proximité de l'Azerbaïdjan semblent adoucir les mœurs, et en dépit de l'extrême rigueur de la loi islamique, j'aperçois des oreilles de femmes dépassant de voiles lâchement ajustés. Je croise une impressionnante quantité de voitures françaises, essentiellement des Peugeot, mais aussi des Renault et quelques Citroën, assemblées sur place par une société publique, et en voyant certains conducteurs se frayer un chemin à travers la foule, le coude à la fenêtre et la musique à fond, j'ai soudain l'impression d'être sur une autre planète. Je dois remettre de l'ordre dans mes références, et vite!

Depuis Cyrus Ier, fondateur six siècles avant notre ère du premier Empire perse, et jusqu'à la conquête arabe, l'Iran a développé une culture originale en imprimant sa marque aux apports des envahisseurs. Au VIIe siècle, l'Iran a été islamisé, mais jamais arabisé et les Perses se convertirent tout en conservant leur culture ancestrale. Les soufis (mystiques apparentés au chiisme iranien, qui croient que chaque être humain porte en lui une part de divin) y étaient nombreux, et ils firent revivre plusieurs symboles de l'ancien culte de Zoroastre, en les islamisant. Pour le zoroastrisme par exemple, le vin (symbole de sang) était sacré, c'est pourquoi nombre de Perses convertis continuèrent à boire… J'aurai l'occasion d'observer, au fil des mois, à quel point ces traditions bachiques – presque épicuriennes ! – restent d'actualité. Et j'entendrai souvent, dans l'intimité des familles lettrées, quelques vers du célèbre poète perse Omar Khayyam récités en cachette :

Boire du vin, aimer selon sa fantaisie
Vaut mieux qu'être dévot avec hypocrisie
Si l'ivrogne et l'amant sont voués à l'Enfer
Nul ne voudra du ciel… ni de son ambroisie !

Les premiers jours toutefois, je ne fais que soupçonner cette forme de double vie. Comme au Soudan, j'avais pris soin de laisser pousser ma barbe, croyant ainsi être mieux accepté au pays des mollahs. Quelle erreur ! Quelques jours après mon arrivée, je fais halte dans un vieux restaurant aux murs verts délavés bordant la route de Rasht, ville importante nichée entre le littoral et les pentes de la chaîne de l'Elbourz. À mon entrée, un lourd silence s'installe parmi les clients, et le restaurateur, après avoir pris ma commande d'un ton glacial, finit par me jeter littéralement les plats sur la table. À la fin, n'y tenant plus, il me fait signe de déguerpir et éructe en montrant ma barbe : « Coupe ça ! » Le soir même, un homme rencontré dans une échoppe m'explique : dans l'Iran d'aujourd'hui, le port de la barbe est un signe de soutien au régime ! Sans rien dire, un type assis à côté de lui fait un signe de la main feignant de flatter une barbe, suivi d'un mouvement du doigt autour de la tête symbolisant le turban. Là-dessus, il lève l'index qu'il bouge en signe de désaccord. Message reçu.

Le lendemain, rasé de frais, je flâne dans les rues et observe la façon dont s'écoule la vie. Les dames voilées de noir marchent les bras écartés, laissant le vent s'engouffrer entre les tissus vaporeux, on dirait des cerfs-volants. Les nombreux parcs et jardins sont envahis d'une foule bigarrée. On s'y retrouve pour lire, jouer au soccer, pique-niquer… Plus surprenant, ce sont aussi des lieux de camping prisés ! Comme si les Iraniens, bridés dans leurs déplacements et isolés du monde, assouvissaient leur soif d'évasion en s'en allant planter dans la ville d'à côté leurs tentes multicolores qui se dressent dans un joyeux fouillis de toiles et de tapis persans. Plus loin, des familles étendent sous les arbres de larges nappes bariolées pour pique-niquer pendant que les ados, groupés autour d'un banc, comparent leurs cellulaires, s'échangent des photos de stars et écoutent en gloussant des musiques interdites.

Obliquant vers le sud et l'intérieur des terres, je traverse les montagnes de l'Elbourz pour rejoindre le plateau central iranien et la ville de Qazvin, avant Téhéran. Il fait une chaleur écrasante, mais même dans les endroits les plus désertiques, un paysan surgit de derrière un caillou et me propose chaleureusement son aide. Il est facile d'obtenir l'hospitalité, et souvent on me l'accorde sans que je l'aie demandée, mais quand les villages sont trop éloignés j'installe ma tente entre deux monticules de terre. Un matin, plié en deux au bord d'un chemin perdu au milieu de nulle part, je m'efforce en pestant de réparer un pneu de ma poussette qui vient d'éclater. Je me crois seul au monde. Je prends quelques photos du paysage désertique et fais un tour d'horizon avec mes jumelles. Au moment de reprendre ma poussette, j'entends hurler dans mon dos: « Passeport! Passeport! » Quatre hommes descendent d'une camionnette 4 × 4 verte que je n'ai jamais entendue arriver et m'encerclent aussitôt. J'ai chaud, j'ai soif et je suis irrité. Je trouve leur approche plutôt agressive et je m'énerve: « Non, tu n'auras pas mon passeport. Premièrement, on dit: "Bienvenue en Iran." Deuxièmement, on dit: "Pourrais-je voir votre passeport, s'il vous plaît?" » Les yeux du gars s'écarquillent, son visage se crispe et son corps se raidit dans son uniforme vert. Il est choqué. La fumée doit me sortir des oreilles car l'un de ses acolytes, comme pour adoucir le ton, me propose de l'eau. Que je refuse. Je leur tends un vague papier présentant mon site Web et mon adresse de courriel: « Vous pouvez me joindre ici », et je m'en vais, dos droit et poussette bringuebalante.

Je campe une nouvelle nuit dans le désert, et le lendemain, au centre-ville de Delijan, une motocyclette verte me rejoint, transportant un policier en civil accompagné d'un interprète. Il me demande mon passeport avec une politesse inouïe.

– Vous prenez des photos, me glisse l'interprète.

– Oui, vous avez un si joli pays...

– L'officier aimerait examiner ces jolies photos.

– Eh bien, les voici.

Totalement concentré, Mahmoud passe les photos à toute vitesse avant de me rendre mon appareil avec un sourire. Il m'offre l'hôtel que je refuse poliment car je dois avancer, mon temps de séjour est compté et je veux arriver à Bandar Abbas à temps. Il me sert la main très, très fort en me regardant droit dans les yeux avec un sourire crispé, puis il me libère.

Un ami journaliste m'apprendra plus tard que je viens de rencontrer le corps des Gardiens de la révolution islamique (Sepah), ceux-là mêmes qui arrêtent et torturent les opposants au régime... Dans les semaines qui suivent, j'aurai souvent le net sentiment que je suis suivi. Mes communications coupent souvent à des instants critiques, et nombre d'Iraniens m'avoueront qu'eux aussi se sentent en permanence traqués. Plusieurs de mes hôtes seront questionnés après mon passage, et pourtant cette pression, loin de me dissuader, m'incite au contraire à en savoir plus. Je n'hésite plus à questionner mes hôtes sur leurs opinions, ce qu'ils pensent de Bush, du nucléaire, des Juifs... Et leurs réponses me stupéfient.

Les opposants me paraissent chaque jour plus nombreux, même si personne ne se risque à exprimer publiquement ses critiques. Les soutiens au régime existent – j'en rencontre quelques-uns –, mais dans la majorité des familles de paysans qui m'accueillent, on préfère s'en tenir à un silence prudent, regrettant du bout des lèvres les libertés d'« avant » la révolution islamique. « Avant », dans la région, on cultivait la vigne. « Avant », le pétrole n'était pas rationné. « Avant », les femmes étaient libres... Y aura-t-il une guerre ? « C'est pas possible, une guerre. Nous aimons l'Amérique ! » Certains rigolent : « Ce serait bien s'ils lâchaient quelques bombes sur Téhéran. Après tout, en allant vers l'Afghanistan, ils survolent notre pays ! » Et pendant qu'ils me parlent, la télévision diffuse en arrière-plan, sur toutes les chaînes, d'interminables monologues de barbus en plan fixe. Mais cette chape rigide, terriblement oppressante, semble subir chaque jour de minuscules déchirures laissant passer de précieux filets d'air pur. En apparence, tout est fermé, conforme aux codes rigides imposés par les mollahs. Puis je regarde cette femme, et j'aperçois sous son tchador un sourcil épilé. Dans les parcs, les jeunes gens se lancent des regards brûlants, chargés de toute la passion qu'on leur interdit d'exprimer. Et dans l'intimité des familles, en pleine période de ramadan, on mange ! Je ne manquerai pas un repas pendant le mois sacré, même les restaurants en apparence fermés cachent des tablées remplies derrière les fenêtres peintes ou aveuglées de journaux.

À une centaine de kilomètres d'Ispahan, je rencontre le jeune Farzad, étudiant en ingénierie avide de discuter avec un étranger. Nous sommes dans un cybercafé où je me plains, une fois de plus, de l'extrême lenteur d'Internet. « C'est que tout est filtré », m'explique Farzad, puis il me demande brusquement, comme si la question le taraudait depuis toujours : « C'est quoi, un *french kiss* ? » Il rougit de gêne pendant mon explication, mais il devient vite clair qu'ayant mis la main sur un tel puits de science, il n'a pas l'intention de me lâcher. Il m'entraîne sous un soleil de plomb jusqu'à sa demeure où je rencontre ses parents, gens chaleureux qui m'invitent à partager leur repas. Encore une fois, on ne semble pas ici respecter le ramadan… Tandis que nous nous installons, les sœurs de Farzad nous rejoignent, en jeans et débardeurs moulants, leurs longs cheveux noirs dansant sur les épaules. La télévision diffuse CNN, et en tirant une louche du cruchon d'alcool dissimulé sous une couverture, le père m'explique qu'il a caché une antenne satellite sur son toit. « Plein de gens en ont ! jure-t-il. De temps en temps, la police fait une descente et les rafle toutes, mais on les réinstalle. » Nous passons l'après-midi à bavarder en fumant une *qalyan* (l'équivalent du narguilé), discutant de ma marche, des pays traversés, des habitudes de vie… Scène quotidienne d'une famille ordinaire. Ces gens très cultivés n'ont rien de subversif – ils ne profèrent devant moi aucune réelle critique du régime. Mais leur mode de vie est une résistance discrète et opiniâtre. Ils construisent leur bonheur malgré tout, sans rancune ni haine.

À Téhéran, le contraste entre la fermeté délirante de la loi islamique et les aspirations réelles de la population est encore plus frappant. À l'avant-garde des bouleversements sociaux du pays, cette immense métropole de 14 millions d'habitants offre un visage à mille lieues des clichés relayés par les médias occidentaux. Tous tentent de grappiller quelques miettes de liberté sur la loi islamique. Les femmes, coquettement maquillées, attachent leur foulard le plus loin possible de manière à libérer quelques mèches de cheveux, et des jeans moulants apparaissent sous les voiles. Dans un centre commercial, je remarque un jour deux adolescentes discutant gracieusement, collées à la vitrine d'un bijoutier. Leurs tenues noires, ajustées, laissent deviner leurs formes et de fines chaînes dorées pendent autour de leur taille. Je les suis un instant, une odeur de parfum flottant dans leur sillage, quand soudain un camion de la police du code vestimentaire s'arrête et les embarque. J'attends à quelques mètres du véhicule, vaguement inquiet ; elles en ressortent quelques minutes plus tard, toujours maquillées mais sans leurs chaînes dorées, la mine basse.

Ce jour-là, je suis rattrapé par une autre réalité, la violence de certaines régions me contraint à modifier ma route. J'avais espéré rejoindre le Pakistan en traversant la région orientale du Baloutchistan, une zone montagneuse désolée à cheval sur les frontières de l'Iran, de l'Afghanistan et du Pakistan. Les autorités consulaires canadiennes basées à Téhéran vont m'en dissuader. La province iranienne du Sistan-Baloutchistan, la plus pauvre du pays, est le théâtre de violents affrontements entre les forces de sécurité iraniennes et différents groupes locaux, pour des raisons tantôt politiques (le Baloutchistan héberge la plus importante communauté sunnite de l'Iran, qui se sent opprimée par les chiites), tantôt liées au trafic de drogue dans ce couloir où transite l'essentiel de la production afghane d'héroïne. On me somme de partir vers le sud et le port de Bandar Abbas d'où je pourrai rejoindre les Émirats arabes unis, et l'aéroport de

Dubaï… Après la Colombie et la Libye, que j'ai dû contourner, c'est la troisième fois que la violence des conflits me force à prendre un avion. J'en ai le cœur déchiré.

Jusqu'où l'absence de libertés pousse-t-elle les gens à trouver des échappatoires ? Dans les montagnes du centre du pays, je découvre à quel point la drogue est omniprésente. L'Iran a la plus grande population d'héroïnomanes et d'opiomanes au monde, environ trois à quatre millions de drogués ! L'opium, largement consommé, est la drogue traditionnelle des Perses, donnée parfois même aux enfants pour calmer leur excitation. On fume du *tériak* (de l'opium cru) partout, dans les relais routiers, les boutiques, les portes cochères des caravansérails… Certains consomment énormément, chez d'autres l'habitude reste occasionnelle. Je me rappelle cet homme qui m'a reçu, assis contre un coin de mur sale, rougissant sur un réchaud sa petite tige de métal et la passant sur la résine avant d'inhaler la fumée, le visage absent, fatigué, les yeux ternes… Et je me demande si la drogue n'explique pas, en partie, à la fois l'extrême gentillesse et la lassitude de ce peuple, dont l'étonnant destin reste pour moi un mystère.

Officiellement, les trafiquants de drogue sont pendus en Iran. Mais on peut curieusement se procurer partout toutes sortes de produits, et les prix baissent miraculeusement, dit-on, à chaque mouvement de contestation populaire. Allah est grand !

Je reprends la route à Saveh, marchant vers Ispahan dans un paysage montagneux. Après plusieurs journées de désert, j'arrive dans l'ancienne capitale perse nichée dans un écrin de verdure, transporté par les splendeurs architecturales de cette ville touristique. Poli, un Madrilène que j'avais connu en Espagne deux années plus tôt, me fait visiter les merveilles de raffinement de la ville, ses mosquées entièrement recouvertes de délicates faïences éclatantes, ses jardins, les jets d'eau de la place Naghshe Jahan où des enfants se baignent… Dans cette ambiance légère, toute de langueur paisible, on pourrait presque se croire en Europe, s'il n'y avait les voiles sombres des femmes promenant leurs ombres lugubres à travers la ville. Et je ne comprends pas. Que s'est-il passé ? Comment ce peuple a-t-il pu en arriver là ? La jeunesse qui n'a jamais rien connu d'autre s'abreuve à mes récits du monde avec une candeur touchante. Dans la ville de Chiraz, en face de l'antique citadelle Zand, je rencontre une dizaine d'étudiants en technologie, et rapidement la discussion s'engage. « Comment c'est, le Canada ? » « Qu'est-ce que vous mangez ? » « Et votre démocratie, il y a plusieurs partis politiques, chez vous ? Comment ça marche ? » Ils écoutent mes réponses avec passion, de plus en plus curieux, mitraillant ma poussette de photos avec leurs téléphones intelligents. La plupart ne sortiront jamais du pays – ils le savent. Les cellulaires sont leur seule récréation. On s'échange des musiques, des clips, des poèmes… Ils s'y agrippent comme des prisonniers rivés à la fenêtre de leur cellule. Il n'y a pas grand-chose à voir, mais c'est toujours mieux que les murs…

Et je songe à ce paradoxe. Ce peuple qui m'aime et prend soin de moi veut développer une bombe, destinée à menacer mon peuple ! J'imagine l'Iran envahi demain par une armée de gens ordinaires, que les Iraniens recevraient avec la même chaleur qu'ils m'ont reçu moi-même, et tout le monde dirait : stop ! Les valeurs que nous partageons sont si proches que j'ai le sentiment d'être coupé d'une partie de ma famille, de mes frères…

Les Gardiens de la révolution ne méritent pas leur peuple.

LE PAYS DES EXTRÊMES

30 octobre 2007 – 10 mai 2008

→ DUBAÏ → INDE → NÉPAL →

Je suis pétrifié. J'observe les centaines, les milliers de gens massés devant l'entrée de l'aéroport dans un capharnaüm indescriptible, entassés sur leurs valises ou mangeant à même le sol à la lueur de petits réchauds, dans l'aube sèche de ce matin de novembre. Je ne veux pas y aller, j'ai la frousse ! Si je sors, c'est certain, je serai englouti par cette masse humaine ! Je viens d'atterrir à Ahmedabad, le plus grand centre industriel de l'Inde occidentale, avec l'idée de rejoindre en train le port de Porbandar, sur la mer d'Arabie, à l'extrême ouest du pays. C'est là qu'est né Gandhi, et que j'ai décidé de commencer ma marche. Mais à l'heure de me lancer, voilà, j'ai les nerfs qui flanchent. Je m'accorde un répit en appelant un taxi dans lequel je m'engouffre, m'efforçant de reprendre mes esprits. Dehors, c'est le chaos, l'apocalypse ! Klaxon hurlant sans discontinuer, la camionnette essaie de se frayer un chemin entre les voitures, les vaches, les rickshaws, les chiens, les passants, sans se soucier d'éviter les enfants crasseux qui surgissent en courant de la foule entre les femmes en saris chatoyants et les hommes de toutes castes. Cent fois j'ai le cœur qui s'arrête, je respire un grand coup et suis assailli d'odeurs qui me font suffoquer, mélange d'encens, d'épices de cuisine, de gaz d'échappement et d'ordures putréfiées. Par je ne sais quel miracle, nous atteignons la gare sans écraser personne. Je dois avoir l'air totalement paumé, car mon chauffeur, plein de sollicitude, débarque ma poussette et me confie à un officiel auquel il demande de m'emmener jusqu'au quai. Je m'accroche à lui comme à une bouée à travers la gare saturée de gens attendant leur train, certains depuis des jours à en juger par l'état de leur campement. Les corps s'enchevêtrent dans un amoncellement de paquets et de marchandises de toutes sortes, tissus, cuirs, breloques destinés à déferler dans les millions d'échoppes de la ville. Ça sent la nourriture, la transpiration et les restes de cuisine dont les rats se régalent en bordure du quai. Enfin mon train arrive, l'officiel me pousse à travers la portière et je me laisse porter par la foule jusqu'à une cabine vétuste de six places, occupée par une famille. L'ambiance se calme subitement. Je m'installe sur un bout de banquette entre une grosse valise et la vieille maman, qui entreprend en souriant de déballer sa vaisselle pour faire manger son clan. Elle me propose en souriant de partager leur repas, et je me laisse doucement bercer par leurs tranquilles conversations. Après sept heures de voyage, j'arrive enfin à Porbandar où je plonge dans la foule avec le sentiment de me perdre dans un épais brouillard. Ce tourbillon infernal ne finira donc jamais? Où suis-je, sur quelle planète, où donc a disparu le silence?

La ville ne compte que un million d'habitants – à l'échelle de l'Inde, un village – qui semblent tous vivre entassés dans les rues anarchiques du centre-ville noirci de pollution. Devant les murs vieillis recouverts de fresques de Gandhi se bouscule une nuée de gens dans une cohue insensée… Des câbles et des fils électriques pendent de tous côtés, entre les immeubles écrasés les uns contre les autres et recouverts d'un fouillis d'enseignes disparates et de panneaux publicitaires. Des dizaines de minuscules échoppes débordent sur la chaussée encombrée de passants jouant des coudes entre les rickshaws pétaradant, les vaches et des cyclistes tirant d'énormes charrettes chargées de marchandises. Des camions aux couleurs psychédéliques décorés de perles, de médailles et de fanions avancent en klaxonnant avec hystérie sans ralentir d'un pouce, sur le mode « Poussez-vous, j'arrive ! ». Plus j'avance et plus ça grouille de vie. Immobile sur mon bout de trottoir, je regarde autour de moi avec le sentiment d'être submergé d'histoires, de drames et de milliers de morceaux de vies condensés là, sous mes yeux, dans ce coin de rue surréaliste.

J'ai besoin de calme, de silence. Je dois trouver un hôtel. J'ai besoin d'aide !

J'entre dans une station-service pour demander mon chemin – ou plutôt je m'y jette, dans un mouvement désespéré. Un jeune homme d'une trentaine d'années, T-shirt et casquette aux couleurs de la compagnie, arrête un instant de pianoter sur son ordinateur pour m'indiquer un hôtel, mais alors que je m'apprête à sortir, il se ravise et entame la discussion. Vipul est en réalité le propriétaire de cette petite station, associé avec son oncle dans une florissante affaire de famille. Ils possèdent plusieurs établissements à travers la province, me dit-il, fièrement campé devant une rangée de bidons d'huile de moteur, avant de m'inviter à souper chez lui. Nous faisons doucement connaissance en attendant la fermeture, et lorsque je le suis à l'extérieur, nous sommes à nouveau happés par la folie ambiante dans laquelle je cherche désespérément quelques points de repère. Puis nous arrivons devant une humble demeure, nichée dans une ruelle calme. J'entre chez Vipul comme dans un cocon. Dans le jardin intérieur, miracle ! On entend à peine le murmure de la ville. Une vieille femme se berce lentement dans un fauteuil suspendu aux moulures de la galerie bordant la maison peinte. À l'intérieur, Vipul me présente sa jeune femme en sari arc-en-ciel, ses deux enfants, son père et sa mère... Le délicat Vipul, d'une prévenance incroyable, m'intègre immédiatement dans son intimité. Il sera mon ange gardien en Inde, me fournissant gîte, réseau, contacts, et même un téléphone pour que je puisse le joindre. Le lendemain soir, il m'entraîne à travers la ville pour fêter Diwali, la plus colorée des fêtes du calendrier hindouiste : le 12 novembre, les maisons se transforment pour la fête de la Lumière correspondant au nouvel an. Partout de complexes *rangolis* sont dessinés à l'aide de différents sables colorés sur le seuil des maisons, série de motifs géométriques d'une méticulosité parfaite destinés à protéger la famille pendant la prochaine année. Les couleurs éclatantes se parent de mystère à la nuit tombée, lorsque des lampes à huile illuminent les maisons. Alors les gens sortent dans leurs habits de fête et un concert improbable de pétards monte du cœur de la ville, une ruelle d'abord, puis une autre, et bientôt tout Porbandar crépite d'explosions frénétiques tandis que la foule danse et rit dans les rues, jusqu'aux premières lueurs du jour… À la fin de cette première journée en Inde, la violence des contrastes et de mes sentiments me terrasse ; je m'endors comme une souche.

« Ne me remercie pas, répète Vipul le lendemain, je le fais pour les enfants, et parce que c'est mon devoir. Et puis pour ton amour aussi, pour Luce, votre histoire est si pure ! », et nous nous enlaçons bêtement, avec émotion. C'est incroyable. En à peine quarante-huit heures, nous avons noué avec Vipul une amitié indéfectible, comme si nos deux cœurs étaient en synergie. Sans me donner aucun conseil, avec sa seule confiance, il m'a ouvert les portes de son pays.

Un pays dur, éprouvant de contrastes, où l'extrême raffinement côtoie la misère la plus noire. L'État fédéré du Gujarat est l'un des plus pauvres de l'Inde, peuplé de paysans, de bergers et de petits commerçants s'efforçant de survivre dans l'isolement de terres arides. Quelques jours après avoir quitté Porbandar, je découvre sur la route un spectacle surprenant. Des familles entières, enfoncées dans des tranchées, creusent la terre à la pioche sur des dizaines de kilomètres, père, mère et enfants, tous dans le trou ! Les bébés les regardent en se balançant dans de petits hamacs posés sur le bord de la route.

On m'explique qu'ils préparent l'installation de câbles pour la compagnie téléphonique Alliance. Ça paie bien, mieux que la ferme qui ne rapporte que 1,75 dollar par jour. Ils sont payés au mètre – une misère –, mais chaque famille a le droit d'en creuser cent, alors elles mettent les bouchées doubles. Le soir, elles dorment dans de minuscules cabanes de branchages bricolées en contrebas avec quelques bouts de tôle, et une toile pour boucher la porte. Quelques chèvres mâchonnent dans un enclos, le linge sèche sur des buissons d'acacias. Les enfants trop jeunes pour travailler recherchent des trésors dans les montagnes de déchets qui bordent la rivière où les femmes font leur lessive dans le voisinage des buffles.

Je partage avec appétit le repas atrocement épicé d'adorables familles, servis sur de l'inox avec mille attentions, mais préparé à même le sol dans de la vaisselle douteuse, vaguement rincée à l'arrière des abris de cuisine, sans savon, dans la même soupe nauséabonde. Au bout de deux jours, le ventre gonflé et les entrailles en feu, j'ai l'impression que je vais imploser sur le bord de la route, et me voilà marchant dans un nuage de poussière, le visage déformé, lâchant brusquement mon chariot pour sauter comme un dément pardessus la tranchée et m'engouffrer dans les buissons. Je fais peine à voir, mais apparemment personne n'y fait attention ! Comme si l'Inde ne connaissait pas les tabous corporels. Un jour, alors que je regarde à travers les broussailles, je vois un homme se masturbant, l'air aussi cool et détaché que s'il attendait l'autobus ! Quel contraste – encore un ! – entre les immondices partout et la propreté scrupuleuse dans laquelle sont maintenues les habitations… Les foyers indiens sont des sanctuaires dans lesquels on se déchausse, les temples des lieux de pureté préservés de toute pollution. Mais à l'extérieur, dans les longs crachats rougis de bétel, dans les excréments de bêtes et d'enfants entourant les déchets, mon cœur se soulève. Souvent quelqu'un se penche et ramasse quelque chose, un bout de plastique, un papier. Rien ne se perd, la moindre production est aussitôt recyclée, comme dans une réincarnation perpétuelle. Peu à peu je m'adapte à l'environnement… et me transforme psychologiquement au même rythme que ma flore bactérienne. Comme les Indiens, je mange avec ma main droite seulement – la gauche étant réservée à des tâches plus grossières –, comme eux je sue et je renifle et j'aspire l'air dans ma bouche pour éteindre le feu des aliments. Je me fonds dans leurs couleurs, j'enlève ma peau d'Occidental et me revêts de leur immunité naturelle.

L'Inde n'admet pas de demi-mesure.

Un soir, après une longue marche sur des terres agricoles, une famille de paysans m'invite à partager son repas au bord d'un champ de cacahuètes. Parents, grands-parents et une dizaine d'enfants sont rassemblés dans l'humble maison. Quelqu'un apporte un panier d'œufs. Une dizaine d'enfants qui m'appellent « oncle » sont alignés dans l'escalier. Ils se tiennent à distance dans la petite pièce sombre. De sa main noire, mon hôte porte à ma bouche la première bouchée de riz comme en signe de bienvenue, puis je commence à manger sous leurs regards contents, seul, comme un invité de marque. À mesure que je prends un légume ou un samosa dans le plat du milieu, l'aîné s'approche et replace délicatement les autres aliments de manière esthétique. Dieu doit être reçu comme il se doit, être nourri le premier. Je me sens à la fois mal à l'aise et honoré. Les femmes, m'explique-t-on, travaillent dur, transportant des heures sur leur tête de lourds plateaux de terre. Dans le centre du pays, les sécheresses des dernières années ont gravement sévi et elles ont dû creuser de vastes cratères qui seront remplis d'eau à la mousson. La famille exploite 10 hectares de terre, et appartient, comme 85 % de la population, aux deux dernières castes de la hiérarchie indienne, celles des commerçants, des artisans, des bergers…

et des serviteurs. Bien que la discrimination liée aux castes soit interdite par la Constitution indienne, le système demeure profondément ancré dans la société, sans qu'il soit possible de sortir de sa condition. Et très peu s'en plaignent... L'hindouiste croit qu'après chaque vie, il renaît dans un autre corps. S'il appartient aux castes inférieures ou est un « intouchable », un paria, c'est parce qu'il n'a pas respecté les règles religieuses dans ses vies antérieures, aussi doit-il bien se comporter s'il veut espérer renaître « brahmane ». Se révolter n'aurait aucun sens : sa condition actuelle, forcément méritée, est une fatalité. Cette conception heurte toutes mes convictions, pourtant jamais, dans ces humbles familles, je ne rencontrerai de réelle tristesse. Dans cette démocratie paradoxalement inégalitaire, la religion freine toute évolution, en même temps qu'elle maintient la paix.

La place prépondérante occupée par la spiritualité me surprend chaque jour davantage. Les fêtes religieuses semblent être quotidiennes, je croise sans cesse des processions célébrant saints, gourous, prophètes... Chaque temple ajoutant au calendrier commun ses propres célébrations de divinités favorites, dieu du Foyer, déesse mère, déesse du Gange ou de la Guerre. Je marche en permanence au milieu de groupes de pèlerins agitant des pancartes et des fanions de couleur, les femmes poussant de petits sanctuaires montés sur quatre roues. À une journée au nord de Khajurâho, le site des fameux temples dédiés à l'amour, alors que je prends le thé assis au bord de la route avec des villageois, un homme nu passe à notre hauteur, suivi d'un petit véhicule de support. Je me rue sur ma poussette et le rattrape. « Que fais-tu ? » Cet homme m'explique qu'il est un sadhu. Cela signifie qu'il a renoncé à la société pour se fondre dans la religion en parcourant les routes du pays, vivant d'aumônes. Ils seraient en Inde quatre à cinq millions ! Ralentissant à peine le pas et écartant d'un geste la dizaine de disciples qui l'entourent, il précise qu'il marche depuis vingt-deux ans, six jours par semaine, mangeant et buvant une fois par jour l'exacte quantité que ses mains peuvent contenir. À intervalles réguliers, il médite. Entièrement nu, portant uniquement une sorte de plumeau bouffant sur sa poitrine, il se repose la nuit sur une natte de roseau. Je souris et le laisse aller, cet homme pourrait être mon gourou! Poursuivant ma route dans le nord de l'Inde à travers l'État de l'Uttar Pradesh, je m'interroge sur le sens profond de ces croyances, empreintes de mythologie. Cette quête individuelle de pureté ne me semble pas produire d'effets collectifs particulièrement probants. Soumis aux castes supérieures, beaucoup compensent en opprimant à leur tour les malheureux encore plus bas dans l'échelle. Un matin, en passant devant une école de campagne, j'aperçois un professeur occupé à battre violemment un petit garçon dont les jambes fléchissent sous les coups. Dressé devant les rangées formées par les élèves, il s'acharne en hurlant à grands coups de bâton. Bouillant d'indignation, sans réfléchir, je me précipite sur lui et arrache son arme que je brise en quatre sur mon genou. Dans les yeux du professeur humilié devant ses élèves, je lis l'incompréhension, puis bientôt la colère… Je m'en vais sans lui laisser le temps de réagir et je songe que ce soir, lorsque les enfants relateront la scène à leurs parents, tout le monde s'accordera à me juger comme fou.

On ne change pas en un jour, pas même en cinquante ans, le fonctionnement d'une société imprimé dans les mœurs depuis des millénaires. La violence est entièrement reliée à la religion et au système de castes indiens, et c'est dans la sphère privée qu'elle s'exprime le plus. Les cas de mauvais traitements, de viols et d'incestes sont légion, les mariages arrangés n'aidant pas la libre expression de sentiments étouffés dans un rigide carcan de conventions. C'est encore un paradoxe, d'ailleurs – un de plus! Ce peuple romantique, père du Taj Mahal, consommateur à doses industrielles de romances à l'eau de rose, passe sa vie à rêver secrètement d'amour! Mais le vivre? Impossible. Les mariages d'amour sont encore rarissimes. Je découvrirai beaucoup plus tard les tourments qui ont agité mon cher ami Vipul, moins impressionné par ma marche autour du monde que par ma relation avec Luce. Dans les mois qui ont suivi notre rencontre, il a entamé avec elle une correspondance intime, cherchant à comprendre les ressorts de notre amour et lui demandant conseil pour orienter sa vie. Il semblait pourtant heureux, le tendre Vipul, entouré de ses enfants et de sa charmante épouse. Mais il lui manquait la passion. Il voulait savoir si le divorce, au Canada, était autorisé, si les hommes avaient des maîtresses, comment s'organisait la garde des enfants… Mais surtout, le plus important: « Luce, j'aimerais vous demander quelque chose de personnel. L'amour est-il plus fort que l'engagement? » Terrible vie qu'une vie de devoirs…

Alors que je repense à Vipul, le souvenir de notre « mariage », à Luce et à moi, me revient en mémoire. Nous ne ressentions pas le besoin de nous unir formellement, mais les enfants, mal armés face au jugement des autres et plus conventionnels, s'inquiétaient de notre situation après quatre ans de vie commune. « Pourquoi vous ne vous mariez pas? » C'était vrai d'ailleurs, pourquoi? Un matin de l'automne 1991, nous avons échangé nos consentements. Sur sa tête, en guise de voile, Luce avait glissé un filet de plastique rouge qui m'évoquait comiquement un sac à oignons. Une boucle de papier collée sur mon T-shirt faisait office de cravate. Thomas-Éric, onze ans, le menton haut et digne, me paraissait un célébrant tout à fait acceptable, enveloppé dans ma robe de chambre qui le recouvrait jusqu'aux pieds. Le visage à moitié dissimulé sous le capuchon, il ressemblait à un moine… Comme nous n'avions pas de Bible, il avait ouvert un dictionnaire sur la table du salon, et contemplait d'un air sérieux Élisa-Jane arranger délicatement les bougies, puis poser sur la table une assiette portant deux anneaux et un verre de coca-cola. Elle avait tout juste neuf ans et elle faisait de son mieux pour se retenir de rire.

Soudain la cérémonie commence. Les notes solennelles de la *Marche nuptiale* de Mendelssohn s'élèvent dans le salon. Nous avançons lentement, suivis d'Élisa, vers l'autel improvisé où Thomas nous attend, droit comme un I. Après avoir lu quelques proverbes sans le moindre rapport avec la circonstance et avalé d'une traite le verre de coca, le célébrant demande d'une voix ferme :

– Luce et Jean, promettez-vous de vous aimer jusqu'à tant que vous ne vous aimiez plus ?

– Oui, nous le promettons.

– Alors, mettez-vous les anneaux et embrassez-vous.

Je prends l'anneau d'or et le glisse au fin doigt de Luce, puis je lui tends la main.

Le baiser que nous échangeons alors, sous les regards ravis des enfants déguisés, a l'étrange saveur d'un printemps éternel, étincelant comme la rosée, aussi léger qu'un frôlement d'aile.

SOUS LE TOIT DU MONDE

12 février 2008 – 31 mars 2008

→ NÉPAL → INDE →

Je nettoie l'assiette avec mes doigts et termine mon repas en claquant bruyamment la langue sur le palais en signe de reconnaissance. C'est une particularité à laquelle j'ai dû m'accoutumer : en Inde, on exprime sa satisfaction gustative en émettant des bruits de bouche appuyés. Plus c'est bon, plus les convives sont bruyants ! Les Népalais partagent la même habitude. « Merci de me donner de la nourriture, la vie », dis-je au paysan chaleureux qui m'accueille dans sa famille, mots aussitôt traduits à sa mère qui a préparé pour une immense tablée le souper de riz et de légumes. Elle sourit. Nous discutons à la lueur d'un feu qu'il nourrit régulièrement avec des fagots de paille, une vingtaine d'enfants serrés autour de moi. La chaleur et la politesse de cette modeste famille me touchent, mais je passe une nuit troublée, partageant un lit creusé au milieu avec mon nouvel ami qui dort comme une bûche en ruant dans ses rêves. La promiscuité ne semble pas les gêner – tous se sont endormis où ils le pouvaient, souvent entremêlés. Je traîne mon matelas sur un coin de terre battue et m'endors enroulé dans mon sac de couchage. Le lendemain matin, regardant la grand-mère qui brasse du riz dans un immense chaudron mijotant sur les pierres, enroulée dans son châle, je songe au courage de ce peuple, parmi les plus pauvres au monde, qui trouve la force de se soulever contre les injustices. Le pays est en transition, traversé de manifestations contre les structures féodales de la monarchie… Hier, tout était fermé. Les manifestants exigent une élection. Sur la route, ils ont édifié barricades et murets de pierre, pour couper les transports qui alimentent Katmandou et l'intérieur des terres. Tout véhicule forçant les barricades est brûlé, la police et l'armée ont renoncé à se battre. Je marche au cœur d'une foule joyeuse et hétéroclite de piétons et de cyclistes. À un poste de contrôle pourtant, un minibus bondé portant une bannière de mariage est autorisé à passer, une musique allègre se déversant des haut-parleurs dans les rires de la noce qui danse sur le toit. Après son passage, il n'y a que le silence. Je m'imprègne de cette atmosphère étrange où le temps et les vies semblent en suspens, sur le point de basculer dans un inconnu qui les grise. Je salue le chauffeur qui lave son autobus dans la rivière, profitant de son temps libre, et pénètre dans le désordre de la ville de Narayangath un sourire aux lèvres. Dans cette mêlée de rickshaws et de passants, sous les immenses affiches publicitaires vantant les cigarettes, les camions Tata ou des marques locales de bière, je fais quelques provisions avant d'affronter les cimes. Sitôt quitté la plaine subhimalayenne, je suis enveloppé par les hautes montagnes qui se dressent majestueusement autour de la route serpentant le long d'une rivière dévalant les combes abruptes, mince trait turquoise chargé de l'eau pure des glaciers du toit du monde. D'humbles maisons de bois enduites de boue séchée de couleur ocre s'accrochent sur les pentes, reliées les unes aux autres par des ponts suspendus ou des câbles d'acier supportant des paniers fixés à une poulie. J'aimerais pouvoir voler ainsi, sans effort, de vallée en vallée… Je partage avec les montagnards des repas de viande de buffle dure comme de la semelle, assis au bord des cultures en étages, dans les cris des enfants qui rentrent de l'école en zigzaguant dans les ravins. Certains me font signe en joignant leurs mains sur le cœur : *« Namasté ! »* Dans ces villages isolés, peuplés de gens chaleureux et d'une politesse incroyable, je ressens comme une impression de déjà-vu qui me rend nostalgique, et je savoure l'extrême douceur de ces instants.

Un soir, remontant la vallée escarpée d'une rivière, je partage un *chaï* avec un paysan quand soudain, un moine bouddhiste apparaît sur la route. Il porte un long tablier de caoutchouc noir noué au-dessus de sa tenue traditionnelle bourgogne, et marche en tirant un chariot à deux roues suffisamment grand pour qu'il puisse y dormir. Sur la toile grise de son abri de fortune, on peut lire ces mots : *« From Tibet to India via Nepal for world peace. »* J'observe un instant son étrange manège. Laissant son chariot au bord du chemin, le moine fait trois pas en frappant les fers qu'il tient à la main, puis s'étale en bordure de la chaussée, laissant ses fers frotter le bitume. Puis il se relève et recommence la même séquence. Une trentaine de mètres plus loin, il s'en revient chercher son chariot et reprend son enchaînement bizarre à l'endroit exact où il a laissé ses fers. C'est incroyable. Je l'interpelle, mais il ne me répond pas, restant concentré sur son rituel. Sa façon de contribuer à l'avènement d'un monde de paix me paraît pour le moins étrange. Mais après tout… Qui sait ? À chacun sa façon de s'engager pour la paix.

Le paysage est grandiose. Katmandou se dessine devant mes yeux et c'est de là que je souhaite passer au Tibet, mais amère déception, le Tibet, si prisé des touristes, reste fermé au monde, et il est interdit de le traverser sans guide. Je n'ai pas les moyens de me payer un guide. Cette révélation me trouble profondément… La liberté n'existe pas sur le toit du monde. Alors, où la trouver ?

Je modifie ma route en continuant vers l'est, mais lorsque j'atteins la frontière, je décide de continuer vers l'État d'Assam, en Inde. Tranquillement je redescends de ce toit du monde sous le ciel bleu. Les paysages sont grandioses, les rizières en étages dévalent les pentes au travers des arbres piqués de maisons, les fanions multicolores déferlent en cascades à partir des toits des petits temples. La spiritualité est en plein essor, les nouveaux complexes en construction de temples bouddhistes côtoient les temples hindous se fondant dans le paysage. Au soir, les jeunes moines se chamaillent pour l'honneur de pousser ma poussette et après un virage, le monastère apparaît sur fond de hautes montagnes. En bas, les plus jeunes jouent au soccer et les robes pourpres se soulèvent dans les mouvements brusques du jeu… Je rencontre le père abbé qui m'invite au temple pour la prière du soir. Des jeunes de six à seize ans sont assis sur le sol à réciter patiemment leurs prières. Ils me semblent bien jeunes pour être enrôlés dans une discipline spirituelle si intense. Le supérieur me dit qu'ils peuvent quitter le monastère s'ils le souhaitent, mais les moines leur offrent l'éducation et la sécurité… Bouddha soigne ses missionnaires.

Je frôle le Sikkim et le Bhoutan pour longer la rive sud du majestueux Brahmapoutre, en Assam.

Dans la beauté grandiose des plantations de thé, je m'étonne de cette violence latente qui contraste tellement avec la douceur et la subtilité naturelle des Indiens. Leur amitié pour moi est tellement immédiate et puissante que je n'ose plus communiquer mon numéro de téléphone, de crainte que les appels incessants de mes nouveaux amis ne ralentissent ma marche. Dans l'Assam cependant, je commets une erreur qui me coupe totalement de la population. Dans cette région troublée, théâtre depuis des décennies d'affrontements armés entre forces gouvernementales et groupes ethniques séparatistes, ma brève rencontre avec la mère du terroriste le plus recherché de la zone plonge la police – et la population – dans l'émoi. Le chef du Front uni de libération de l'Assam est en fuite depuis près de vingt ans, mais la guérilla ne connaît guère de trêve et sa lutte pour l'indépendance de la province aurait fait, depuis les années soixante-dix, plus de 18 000 victimes… J'ignore tout cela lorsqu'un homme sympathique croisé sur la route me propose de rencontrer la vieille mère de Paresh Baruah, leader du Front uni de libération de l'Assam. J'accepte avec enthousiasme, comme si, du Chiapas mexicain aux montagnes berbères et jusqu'aux confins des campagnes indiennes, ces luttes farouches pour préserver une identité distincte parlaient à mon cœur de Québécois. Le jour dit, quelques journalistes m'accompagnent, et le lendemain les photos de notre rencontre s'étalent dans les journaux. Le marcheur canadien soutient l'indépendance de l'Assam ! De retour au village où les Indiens m'avaient chaleureusement accueilli quelques jours plus tôt, je trouve partout porte close. On ne me sourit plus, les fenêtres se barricadent. Ceux qui m'avaient invité chez eux ont reçu la visite des services de renseignements, qui me conduisent bientôt au poste de police central et exigent de saisir mes photos. Je suis en colère, révolté par cette atteinte à ma liberté d'aller et venir, et en même temps furieux de m'être laissé bêtement instrumentalisé. Ce que je pense de ce conflit ? Rien, sinon que c'est à la violence qu'on devrait mettre des frontières. Pas dans les esprits. Je voulais voir, tenter de comprendre… Et rencontrer cette femme, dont je réalise brusquement que tout le monde se fiche. Cette vieille dame toute pliée dans son sari discret, caressant de ses longs doigts ridés quelques photos jaunies. « Je ne l'ai pas vu depuis plus de vingt ans, m'a-t-elle simplement dit, des larmes brillant dans ses yeux sombres. Je veux revoir mon fils. »

CINQ FOIS LE FLEUVE BLEU

17 mai 2008 – 8 août 2008

→ **CHINE** →

J'étais à Katmandou, sur le plateau tibétain, lorsque c'est arrivé. À l'est de ma route, la plaque portant le sous-continent indien a glissé brusquement de plus de cinq mètres, chevauchant un peu plus la plaque eurasiatique et le bassin du Sichuan, libérant une énergie phénoménale qui s'est répandue sur des centaines de kilomètres à la vitesse de l'éclair. Le 12 mai 2008, à 14h28, un tremblement de terre d'une puissance terrible a dévasté la province du Sichuan, rayant de la carte des milliers de maisons, de villes, d'écoles, de villages sur un périmètre immense, emprisonnant morts et vivants dans un cauchemar de décombres. Alors que j'attendais, au Népal, l'avion devant me conduire à Chengdu, située à 70 kilomètres de l'épicentre, 100 000 soldats chinois fouillaient les ruines à la recherche de survivants et tentaient de prévenir de nouveaux drames apportés par plus de 150 répliques. Lorsque j'atterris en Chine, je découvre un peuple accablé écoutant les haut-parleurs égrener ce bilan terrifiant: 18 000 disparus, plus de 370 000 blessés, et 70 000 victimes.

L'aéroport de Chengdu évoque un pays en guerre. Infirmiers, militaires, ONG courent et se déploient dans un amoncellement de tentes, couvertures et boîtes de nourriture attendant que les transports s'organisent pour les acheminer vers les zones sinistrées. Je pensais rejoindre Beijing en passant par Xiang, mais les policiers m'en dissuadent: toutes les routes sont détruites, là-bas les habitants n'ont plus d'eau, plus de ressources, ma présence serait pour eux une charge supplémentaire. Je décide finalement de partir plein est et de franchir en ligne droite les 2500 kilomètres qui me séparent de Shanghai. Je marche vers la ville dans un décor improbable de buildings ultramodernes et de chantiers gigantesques au pied desquels des groupes de volontaires organisent des collectes de fonds pour soutenir les réfugiés, agitant banderoles et enseignes. Les Jeux olympiques doivent débuter dans trois mois, deuil et fébrilité se mêlent comme si la tragédie avait frappé une famille en pleins préparatifs de mariage, les anneaux lumineux jetant leurs feux sur les drapeaux en berne. Je suis frappé, pourtant, par le calme étonnant dans lequel les forces du pays se rassemblent pour relever la province. Dans les parcs hérissés de tentes et de bâches de toutes sortes accueillant les réfugiés affluant après chaque nouvelle réplique, des hommes jouent au mah-jong autour de petites tables, glissant d'un geste vif l'argent misé sous des tuiles de carton. Dans la nuit, lorsque l'ordre est donné par les autorités d'évacuer l'hôtel où j'étais installé, je rejoins dans la rue des milliers de Chinois dressés dans le silence et nous nous endormons, serrés sur les trottoirs, sans que le moindre incident ne trouble l'ordre parfait qui règne dans ce chaos. Le peuple sait s'imposer une discipline de fer. Le lendemain, lorsque je reprends la route, soudain une formidable clameur s'élève : tous les klaxons de Chengdu, des millions de klaxons, déchirent en même temps le silence alors que les passants s'arrêtent, retirant leur chapeau, dans un hommage aux morts bouleversant.

L'écho de la tragédie s'estompe à mesure que je m'enfonce dans les montagnes du Sichuan. Le contraste avec la mégapole gigantesque que je viens de quitter me laisse l'âme embrouillée au point que j'ai peine à croire, en regardant les buffles tirer leurs charrues à travers les rizières, que ces hommes appartiennent au même monde, au même peuple. Plus loin, des paysans battent les gousses des récoltes en contrebas de la route défoncée de nids-de-poule où je salue les porchers transportant la mixture de leurs bêtes. Dans les rizières, les dames plantent brin par brin de jeunes pousses de riz qu'elles puisent dans des ballots, les mains et les pieds dans l'eau, les pantalons relevés au-dessus du genou. Tout est si net, si ordonné... à leur regard satisfait je comprends que la beauté de leurs champs fait toute leur fierté. *« Ni hao ! »*, crié-je, heureux de les voir sourire. Mais j'éprouve les plus grandes peines à communiquer. Pas un mot de mon répertoire ne paraît les atteindre, jusqu'aux gestes qui semblent avoir ici une signification différant sensiblement des autres cultures. Sur les places des villages où une foule paisible s'adonne à une multitude de jeux – de dominos, de cartes... –, on me laisse m'installer en souriant pour la nuit, puis on ne me dérange plus. Pourtant cette distance respectueuse renforce mon isolement, que je m'efforce de briser en jouant avec les enfants. Quels enfants ! Vivants, choyés, heureux ! Tout un pan de l'histoire de la Chine se raconte à livre ouvert sur les visages des gens : grands-pères marqués de misère, fils mieux nourris, petits-enfants rayonnants, gâtés, épanouis. La politique de l'enfant unique produit une ambiance étrange, celle d'un peuple sans frères ni sœurs, sans oncles, sans cousins... Dans les campagnes, il est courant qu'on élise un ami qui deviendra un frère, et qu'on aimera comme tel jusqu'à la fin de sa vie. Les jeunes surtout raffolent de cette pratique. En les écoutant discuter, je m'aperçois bientôt que tous portent un deuxième prénom occidental, à l'image des modèles que se choisit la nouvelle génération. Je ne sais si cela m'inquiète, ou bien me réjouit : les enfants que je croise auront un niveau de vie beaucoup plus élevé que leurs aînés, ils voudront consommer davantage, et bientôt ce sera un milliard et demi de Chinois, soit 20 % de la population mondiale, qui se jetteront sur les objets tendance et fantasmeront devant les cinémas maison... À quoi ressembleront, alors, ces campagnes que je traverse? Je parcours les douces montagnes du Sichuan avec le sentiment de voyager à travers les siècles. Entre les rizières et les vertes cultures en terrasses, les poteries et les toits de tuiles d'argile des villages semblent là depuis des générations. J'apprends à choisir, au marché, les canards vivants qu'on déplume et apprête sous mes yeux, et me délecte en chemin d'œufs de cane à la saveur salée. Une multitude de petits fabricants de pâtes font sécher au soleil, sur des treillis, de longues nouilles savoureuses. La cuisine chinoise est l'une des plus riches de tout mon périple, offrant une impressionnante variété d'odeurs et de saveurs subtiles. À la fois plaisir, médecine et philosophie, elle est en quête perpétuelle d'harmonie, cherchant l'équilibre parfait entre le froid et le chaud, le salé, l'amer ou le pimenté, le dur et le mou, chaque plat devant également flatter l'œil par des formes et couleurs assorties. Je m'habitue aux soupes chaudes et aux thés brûlants, aux bains bouillonnants et aux couvertures empilées en plein été, « la chaleur est importante, me répète-t-on en ajoutant un édredon, c'est bon pour l'estomac ». Cette façon de saisir délicatement avec des baguettes les aliments prédécoupés me paraît extrêmement raffinée, quand les Occidentaux ont besoin d'un plein coffre à outils pour manger… Dans la province de Hubei, à l'approche de la ville de Lichuan, je rencontre sur la route une famille s'en revenant d'une promenade à cheval. Jeff et Charlene, parfaitement anglophones, m'offrent de passer quelques jours dans le petit hôtel d'un ami, ce que j'accepte avec joie, heureux de pouvoir enfin abattre la barrière de la langue. Autour de la table, dans des discussions allègres, Charlene me dit fièrement que nous dégustons une partie de la chasse de son frère : un serpent qu'il vient tout juste de prendre. Aussitôt le jeune homme brandit une photo le montrant sa proie à la main, un long reptile d'au moins deux mètres. Ainsi, nous mangeons du ragoût de serpent? Je le trouve succulent. Mais quand le père plonge sa louche dans un énorme pot rempli de feuilles, de branches et de tubercules et me sert une tasse d'un liquide ambré, aux puissantes vertus médicinales, m'assure-t-il, j'ai un brusque mouvement de recul. Il me semble que le serpent mort pourrait me dévorer de l'intérieur, et je refuse poliment. Charlene m'explique en riant que les nombreuses famines ont façonné les habitudes culinaires des Chinois, qui mangent absolument tout : têtes ou serres de volailles, chiens, souris, singes, tortues… Je croiserai souvent, sur ma route, des motocyclettes traînant des cageots de chiens avec ceux de volailles. Pendant plusieurs jours, Jeff reste aux petits soins pour moi. Je suis frappé de la relation très égalitaire qu'il entretient avec Charlene, sans doute liée au communisme, et par l'absence d'inhibitions sexuelles ou religieuses au sein de ce peuple fier, très soucieux de son honneur et de sa réputation. Le dernier soir, après un délicieux souper de paon, nous scellons notre amitié en frappant ensemble nos bols de terre cuite, *« cambey ! »* (santé !), avant de les jeter violemment au sol où ils éclatent avec autant de force que l'amitié qu'on se souhaite.

Le lendemain matin, à l'heure du départ, Jeff me tend un texte de présentation rédigé dans sa langue afin de faciliter mes contacts avec les gens des campagnes, dont la plupart n'ont jamais vu d'Occidental. Sur la route montagneuse, de plus en plus escarpée, je croise à intervalles réguliers l'immense chantier de l'autoroute qui reliera bientôt Shanghai à Chengdu. J'éprouve toujours un choc à voir surgir de ce paysage majestueux des pylônes gigantesques portant ces deux rubans à travers les vallées, perçant les montagnes. J'arrive dans les villages accablé de fatigue, la sueur me brûlant les yeux, réconforté par les senteurs de canards grillés se mêlant aux épices. Souvent des pétards crépitent, on célèbre une fête familiale, l'ouverture d'un commerce… Je me couche le soir sur un lit de bambou – c'est incroyable tout ce qu'on peut faire avec cette plante, papier, vêtements, édifices… – en rêvant au destin de ce peuple-monde. Lorsque j'étais jeune, à l'école, je me rappelle ces campagnes où l'on nous pressait d'acheter des cartes à 25 cents pour aider les enfants chinois. Quelques années plus tard, je payais à mes enfants des crayons *Made in China*, puis des jouets, des chaussures, des meubles… jusqu'au jour où je suis devenu dépendant des produits chinois. La curiosité et la force de travail de ce peuple me semblent sans limites. Chaque boulon de ma poussette est minutieusement étudié, caressé, retourné, les mains se glissent à l'intérieur comme pour emprisonner la mémoire de sa forme. Je me sens submergé par cette énergie, et je songe : oui, ces hommes peuvent absorber le monde. Ils vont absorber le monde.

Les gorges profondes qui séparent les montagnes me donnent le vertige, mais les rires des soirées me ramènent à la terre. Tous les rires. Au fil des mois, j'apprends à les distinguer : il y a le rire de joie, celui de bienvenue, le rire de tristesse ou de défaite… Un jour, la tenancière d'un cybercafé (dure position dans ce pays de censure !) s'esclaffe au moment où la ligne se coupe. Je me fâche, croyant qu'elle se moque de moi, avant de comprendre qu'en réalité, elle est en train de rire de dépit. Il est très important, dans la culture chinoise, de ne jamais perdre la face en public, ce qui engendre des réactions curieuses que les Occidentaux ont parfois du mal à interpréter… Les soirées se passent en échanges sans paroles et découvertes mutuelles. Lorsque je remonte les manches de ma chemise, souvent les sourcils se lèvent. Les Chinois n'ont pas de pilosité, et mes avant-bras velus semblent beaucoup exciter les femmes. Certaines me demandent en rougissant si j'en ai aussi sur la poitrine, et lorsque je soulève ma chemise, elles poussent des cris en riant et en agitant les bras. Mon ami Jeff m'avait parlé de la connotation fortement sexuelle de la pilosité, aussi je feins de ne pas remarquer les mains qui me frôlent. J'ai même senti une grand-mère flatter mon bras comme un chat ! Après le repas, nous rejoignons à l'extérieur les villageois rassemblés pour jouer, toujours nombreux. Il y a toujours de l'argent sur les tables. À côté des adultes, un groupe d'enfants dispute avec sérieux une partie de Monopoly, et je pense en riant : il n'y a pas plus capitaliste, finalement, qu'un Chinois communiste !

Je garde toutefois pour moi ce genre de réflexions. Dans ce pays engagé dans une folle course au développement, les dissidents sont emprisonnés, les critiques bâillonnés, et si elle reste discrète aux yeux des visiteurs, je ressens cette pression qu'exerce sur le peuple un parti unique autoritaire qui entrave les libertés d'expression, de religion, de la presse, réprimant au besoin les défenseurs des droits de l'homme. Il m'est très difficile de connaître l'opinion réelle des Chinois que je rencontre, qui me paraissent pour la plupart docilement respectueux du pouvoir. Alors que le monde entier braque ses regards sur le pays à l'approche des Jeux olympiques, la fierté du régime s'exprime sans réserve, dans l'effort et le travail. Ils sont une grande famille, me disent-ils, fiers de leur armée, de leur pays… Ils ont raison, bien sûr. Je ressens une admiration immense pour la force, l'organisation, les réalisations de ce peuple aux valeurs éternelles et profondes. Mais je sais en même temps que l'unipartisme est l'opium du peuple, au même titre que les religions. Et les dépendances que nous nous créons à travers la planète consument l'essence humaine exactement de la même manière, que l'on soit sous l'emprise d'un maître, d'un dictateur ou d'un psychotrope. Il faut du courage pour être vraiment libre, et ce courage-là, peu de gens l'ont…

Je dois en tout cas mobiliser tout le mien pour franchir les 700 derniers kilomètres qui me séparent de Shanghai. Dans les montagnes, accablé de chaleur, je vis l'un des moments les plus difficiles de ma marche, avançant parfois au bord de l'évanouissement. J'entends mon cœur frapper comme un sourd sur mes côtes dans les montées interminables. Les passants me conseillent de faire attention, ils me trouvent ridicule de marcher par de telles chaleurs, mais mon visa va expirer et je n'ai pas réellement le choix. J'ai fixé un parapluie à ma poussette pour me protéger du soleil, mais parfois je m'arrête et tombe, confus, sur le bord de la route. Je me force à me relever après quelques minutes, et je continue, vide de pensées, marchant de point d'ombre en point d'ombre. J'ai des ampoules aux orteils, et surtout je souffre du pied gauche. C'est le cas depuis l'Iran, mais cela s'est aggravé ces jours-ci. Des protubérances ont poussé à l'avant de mon pied, sous les coussins, et deux de mes orteils commencent à se séparer. J'y pense tout le temps, j'ai mal, j'ai peur de perdre mes pieds, mais je marche, je marche, et à chaque pas c'est comme si je mordais ma blessure d'un coup de fouet. J'ai remis mes sandales mais elles me créent de nouvelles ampoules, et je boite comme un infirme, les jambes écartées pour soulager les irritations qui sont apparues entre mes cuisses. Mes quinze derniers jours de marche sont un réel supplice… Je devrai voir un podologue en Corée. Enfin je traverse le fleuve Yangzi Jiang pour la cinquième et dernière fois, et arrive au soir du 8 août dans un petit hôtel de Shanghai. Rassemblés dans le hall, les employés, les quelques clients et moi-même regardons ensemble à la télévision la cérémonie d'ouverture des Jeux olympiques. Elle est colossale, grandiose… Mes hôtes rient et chantent, ils débordent de fierté, et à nouveau je ressens pour eux ce respect indicible.

Demain, je m'envolerai pour la Corée.

TECHNO ! JE T'EMBRASSE

9 août 2008 – 28 janvier 2009

→ CORÉE DU SUD → JAPON → TAIWAN →

«Ohayô! Konnichiwa!» Dans la grande zone urbaine de Tokyo, la mégapole la plus peuplée du monde, je marche comme en plein désert. Personne ne répond à mes «bonjour» – ou plus exactement, une personne sur trente y répond avec un geste vague, selon la statistique personnelle que je m'amuse à établir pour tromper l'isolement. Dans l'extraordinaire bouillonnement urbain déchiré de gratte-ciel et saturé de milliers de piétons, je me sens soudain plus solitaire qu'au cœur du Sahara nubien, inexistant et invisible dans un monde de robots. Les humains qui m'entourent n'ont pas de regard périphérique – ils fixent le sol droit devant eux, rivés à leur objectif, enfermés en eux-mêmes comme dans une prison. Je baigne dans une foule de costumes surmontés de visages austères. Yeux impassibles. Regards transparents. La plupart ont des écouteurs vissés aux oreilles, comme un soluté de sérum essentiel à leur animation. La comparaison me frappe tant que je les imagine un instant traînant avec eux leur tube sur roulettes, arrachez-le, et ils tomberont. Survivraient-ils à la perte de leurs écouteurs ? Je n'en suis pas sûr. Le lecteur MP3 gavé de musiques et de fichiers balados est un élément vital de ces machines humaines qui déferlent à heures précises dans les rues de la ville, remontées comme des pendules, organisées et efficaces. Si une pièce se brise, on la répare. Si c'est impossible, on la met au rebut. Le Japon court, le Japon travaille, le Japon vit dans le futur. Je suis tout seul dans le présent, un fossé temporel nous sépare et c'est sans doute

pour cela que personne ne me voit. À moins que je n'existe plus ? Je commence à suffoquer. Cette fois, le décalage culturel est trop grand, je n'y arriverai pas.

Il y a quelques semaines pourtant, alors que je traversais la Corée dans une ambiance de fête perpétuelle, accueilli comme un héros par des habitants fatigués de ne recevoir que banquiers et investisseurs, mes amis me répétaient en riant dans les champs de ginseng : « Tu vas adorer le Japon. C'est comme la Corée, en plus beau ! » Lorsque je commence ma route sur l'archipel, en septembre, descendant la rive septentrionale depuis le cap Tappi sur une route vallonnée de cultures et de forêts, me mêlant à la vie paisible des pêcheurs, je ne suis pas loin de penser qu'ils avaient raison. Dans cet écrin somptueux, les habitants m'accueillent avec cérémonie dans leurs intérieurs ordonnés pour me servir le thé, chacun de leurs gestes semblant répondre à une chorégraphie précise. Leur discrète politesse, toute de raffinement, me fascine autant que l'extrême méticulosité de tout ce qui m'entoure – matériaux, jardins, maisons… Comme si la recherche de perfection absolue propre à la culture japonaise ne saurait souffrir dans son environnement la moindre dissonance. Les saluts sont polis à l'excès, succession d'inclinations appuyées les bras serrés au corps. Ces marques de respect et de civilité m'enchantent, pourtant à mesure que j'approche des agglomérations, le respect se mue en convention, la réserve en indifférence. Les sourires disparaissent ; je deviens transparent.

Un matin, après avoir campé près d'une rivière en faisant route vers le mont Fuji, j'aperçois devant la boutique d'un concessionnaire un groupe d'employés en costumes engagés dans un rituel étrange. Les traits tendus, concentrés, ils se livrent à une séance énergique de psycho-motivation de groupe, unissant leurs efforts pour bien commencer la journée. La bande répète à intervalles réguliers les paroles scandées par une sorte de coach, leur chef d'équipe, sans doute.

Je ne comprends rien, mais j'imagine le sens de leurs cris de guerre : « Quel est notre but aujourd'hui ? – Vendre des voitures ! – Vous connaissez l'objectif. Quel est l'objectif ? – Dix pour cent de plus ! » J'ai connu cette pression, dans une autre vie. Nous sommes en octobre 2008, et la crise mondiale qui a frappé les marchés boursiers le mois dernier a jeté un voile sur les visages, on craint une terrible dépression à venir. Je songe tristement à ces hommes et ces femmes qui devront travailler davantage encore pour garder leur travail, sans réfléchir aux causes qui les ont conduits au bord de l'effondrement, car ils risqueraient d'y perdre l'unique valeur qu'ils chérissent : le travail, levier d'ascension sociale et pourvoyeur d'argent. Bref, subitement, je me sens loin de ce monde. Je me réfugie dans un petit parc – un havre comme il en existe des centaines dans ces mégapoles délirantes – où l'homme a décidé d'enfermer ce que le monde contient de poésie et de beauté pour qu'elles puissent encore y éclore, sous bonne garde, sans risquer de contaminer le diamant pur du business. Au milieu de l'étang, il y a un piquet sur lequel est juché un martin-pêcheur que les photographes amateurs mitraillent, en cherchant des angles compliqués. L'oiseau reste impassible, comme la statue d'un nu de jeune fille intitulé « Moi-même ». D'autres jettent nonchalamment quelques miettes de pain aux carpes rouges, blanches et jaunes glissant silencieusement sous les nénuphars. Dans mon journal, j'écris : « Humain. Quand tu souffres, tu t'exprimes. Quand tu es heureux, tu t'exprimes. Par amour et bonheur ou par haine et douleur, ton visage, tes gestes, ta voix font expression, touchent la matière et laissent des graffitis dans les cœurs. Et quand tu es au-delà de ces formes d'expression, à grands coups d'amour ou de souffrance, alors tu forges les cœurs. »

Quelques heures plus tard, je croise une étudiante portant un masque d'infirmière qui marche en pianotant sur son cellulaire. Un groupe de garçons s'en reviennent de l'école, encore en uniforme, les cheveux coupés à l'identique, pédalant de la même manière sur des bicyclettes grises fabriquées en série à des millions d'exemplaires. Et pourtant… « *Ohayô* »… Victoire ! Je capte leur attention. Arrêtés au feu rouge, ils paraissent fous de joie, autant que moi qui serais même à deux doigts d'en pleurer. « Ohhh ! Ohhh ? » s'exclament-ils en tentant de déchiffrer ma petite affiche, mais les mots restent bloqués en eux, leurs interrogations fusant en onomatopées incompréhensibles. Qu'importe ! Cela faisait des jours que je n'avais plus partagé d'émotions…

Je retrouve la paix, et l'humanité, en remontant la vallée vers le village de Doshi où je prévois de camper sur une aire de repos, mais un jeune employé de la cafétéria, Kazuki, est tout heureux de m'inviter dans sa demeure pour la nuit. À la fin du repas, regardant mon assiette, il me dit délicatement que chaque grain de riz est sept dieux… « Oh ! Merci de me l'enseigner. » Je comprends que je manque de respect envers la précieuse nourriture qui m'est donnée et m'empresse de finir les quelques grains de riz délaissés. Puis, avec un crayon à bille, je dessine des visages sur le bout de mes doigts et sur ceux des enfants pour faire des marionnettes, et nous jouons ensemble à improviser des saynètes. Je savoure ces heures d'intime compréhension comme un cadeau que cette famille me fait, simple et doux comme un cocon. Je progresse vers le majestueux Fuji San dans les couleurs flamboyantes de l'automne, une épaisse mousse verte recouvrant les remparts de béton retenant les escarpements en bordure de la route. Les parapets sont équipés d'un ingénieux système de panneaux solaires permettant de faire fondre la neige dans les courbes. Tout est calme, paisible. Le mont divin reste caché dans les nuages, ce qui désole les habitants déçus que je ne puisse admirer Sa Majesté Fuji San. Dans le parc bordant la rive du lac Yamanakado, l'un des cinq lacs qui entourent la partie nord du dieu Fuji, c'est jour de concours de lancer de frisbees, et les chiens s'élancent au pied du volcan invisible. Le lendemain matin, le cône enneigé apparaît enfin dans le soleil levant, dominant les jardins de thé et les maisons traditionnelles de sa force tranquille.

Je campe dans un petit port de pêche sur la côte du Pacifique. À l'aube, des bateaux s'en revenant de la pêche me réveillent en traversant la passe, et je contemple les grues vidant les cales sur de grandes tables de tri. Pendant que les hommes s'affairent, les dames en bonnets roses nouent lentement leurs tabliers en profitant quelques minutes des premiers rayons du soleil. J'aimerais pouvoir rester sur cette côte accueillante, éviter la terrible solitude des agglomérations... En marchant vers Nagoya, la troisième ville en importance du Japon, je traverse plusieurs périmètres de sécurité entourant des chantiers de construction. Des préposés orientent les piétons avec une politesse inouïe, mais non sans une fermeté sans faille. Tout semble pré-pensé. Cette société refuse le droit à l'erreur en même temps que l'initiative individuelle : tout est réfléchi en groupe, ainsi en cas d'échec nul ne pourra être blâmé. Ces hommes sont tellement occupés qu'une fois encore, je connais l'isolement. Je viens d'un autre monde, je me sens trop en marge pour cet environnement uniformisé, de l'enfance à la mort. J'ai le sentiment paradoxal de manquer de tout ici, quand l'Afrique qui n'a rien savait tout m'apporter. Je me souviens qu'au Mozambique, je me lavais tous les jours – c'était la première chose à laquelle mes hôtes veillaient. Mais dans la froidure de l'automne nippon, en dormant dans les parcs et les forêts, en dehors du système, je ne parviens à me doucher que tous les sept à dix jours !

Dans la ville de Toyohashi, je lie connaissance avec un couple de Brésiliens pique-niquant avec d'autres Sud-Américains sur un terrain de soccer. Ils occupent les emplois mal payés de l'industrie automobile. Le mari, qui ne parle pas japonais, peine à trouver du travail, mais ils souffrent surtout de l'absence d'avenir. Le peuple japonais, me dit-on, tolère très mal les étrangers. Pour obtenir la naturalisation, il faut obligatoirement avoir du sang japonais, ce qui écarte toute perspective pour la main-d'œuvre née en dehors du pays… « Nos libertés sont très limitées », insiste quelques jours plus tard Victor, un Péruvien rencontré au hasard de la route. Pas d'avantages sociaux, pas de pensions, impossibilité de commercer, impossibilité de devenir citoyen… « Et à n'importe quel moment, on peut nous renvoyer chez nous sans préavis. » Autour de son bras, un bandage protège une tendinite persistante causée par la répétition des mêmes gestes au travail. Je lui demande s'il s'ennuie de sa famille… « Bien sûr », dit-il. Puis un silence. « Là-bas, ils pensent qu'on fait de l'argent, beaucoup d'argent. Ils m'en réclament en permanence. Mais s'ils savaient… »

Il n'existe pas, il ne peut pas exister de société parfaite.

Mais il y a des instants de grâce.

Comme cette fleur poussant dans le grand Tokyo à travers l'asphalte craqué, petite chose délicate et rebelle repoussant de sa fragile corolle les contraintes humaines.

Comme cette vieille dame de Nagoya, qui tentait de me dire quelque chose et que j'ai embrassée. Elle était toute petite, cette dame, toute de douceur pastel dans son pantalon beige, son pull vieux rose et son gilet vert pâle orné de boutons dorés. Elle s'est approchée de moi sur la route, essayant de me parler, mais je ne comprenais pas. Elle insistait pourtant, et cédant soudain à une irrésistible impulsion, je l'ai attrapée par les épaules et serrée contre moi. Ce fut un long, un vrai câlin, un instant d'éternité. Lorsque enfin je l'ai lâchée, ses yeux se sont emplis de larmes, *« arrigato, arrigato »* (merci, merci), a-t-elle répété.

Elle m'a donné tant de réconfort et tant de joie, cette fleur du Japon, que j'aurais voulu l'emporter avec moi…

LE PARADIS PERDU

30 janvier 2009 – 17 mai 2009

→ PHILIPPINES →

Nous étions six milliards sur terre le jour où je suis parti.

Un milliard de moins qu'à mon retour.

Qu'avons-nous fait de ce monde?

Avant de découvrir ce Sud-Est asiatique saturé d'hommes et déchiré de conflits, je savais la surpopulation, la pollution, la misère… Mais c'est tout autre chose que de les vivre. J'arrive à Manille en février 2009. Une agglomération monstre de plus de 20 millions d'habitants, et la plus forte concentration humaine au monde! Dans le ballet des ânes, des camions, des motocyclettes chargées de marchandises, des milliers d'enfants abandonnés mendient ou fouillent les déchets à la recherche de trésors à revendre ou à recycler. Soudain, sur ma gauche, la baie apparaît: une gigantesque étendue d'eau noire et visqueuse, encombrée d'ordures, comme une boue sombre s'étendant sur des centaines de kilomètres. C'est effroyable, j'en ai le cœur chaviré… Le soir même mon hôte français, Dominique Lemay, détaille pour moi les défis auxquels est confrontée la capitale des Philippines, où absolument tout est pollué: l'air, l'eau, les ordures, les égouts… Les canalisations relient à peine plus de 10 % des habitants, la plus grande quantité des eaux usées s'en allant tranquillement par des canaux ouverts se déverser dans la baie. Un tiers des habitants, se désole Dominique, vivent dans des bidonvilles. Sa fondation, Virlanie, est aujourd'hui la plus importante ONG œuvrant auprès des enfants dans les rues de Manille. Elle les accueille dans ses maisons, leur offrant un cadre, un avenir… Mais la tâche est si lourde ! La petite école ambulante de la fondation attire une nuée d'enfants qui repartent, la classe terminée, après qu'on leur a offert à manger. Un petit garçon de cinq ou six ans, crasseux et les yeux vifs, vient si souvent, me dit-on, qu'on lui a attribué sa propre brosse à dents… Mais il ne reste jamais. Où dort-il ? Sur quelle montagne d'ordures transformée en bidonville ?

Depuis les Philippines jusqu'à la pointe de l'Indonésie, je vais passer sept mois sur ces îles fragmentées, saisissantes de contrastes et confrontées à une surpopulation galopante entraînant une pollution record et de nombreux conflits.

L'archipel des Philippines se divise en trois grandes régions : Luzon, où se situe la capitale Manille, représente l'extrême nord. Puis viennent les Visayas et leur multitude d'îles. Enfin, au sud, l'île de Mindanao, réputée dangereuse car elle abrite une forte minorité musulmane en conflit permanent avec le gouvernement. En quittant le Nord surpeuplé pour les Visayas que je traverse par les îles de Samar et de Leyte, j'appréhende vaguement ce que je vais trouver. Ces îles sont parmi les plus pauvres des Philippines, dit-on. On y trouve peu d'hôtels, et rarement de l'électricité. Pourtant… je traverse ces terres volcaniques couvertes de cocotiers dans un enchantement, observant le ballet des *bankas* pétaradantes chargées de poissons et de coprah (la pulpe séchée des noix de coco) que les insulaires vont vendre sur le continent. Ces bateaux à balancier aux allures de catamaran, alimentés par de petits moteurs à essence, peuvent atteindre jusqu'à trente mètres de long, filant entre les îles avec une stabilité étonnante. Une fois encore, je constate que les statistiques des organisations internationales échouent à rendre compte de la réalité des vies : ici, la pauvreté extrême se traduit souvent par des rires. Rires des pêcheurs, rires des femmes discutant sous les cocotiers, rires des enfants s'ébattant dans l'eau turquoise… La joie déborde de la simplicité des jours.

Je descends la route bordant la plage de fin sable blanc lorsqu'un motocycliste s'arrête à ma hauteur. Ce Hollando-Américain est presque philippin, me dit-il, il vit sur l'île avec sa petite amie Pinoy. « Pourquoi ne passes-tu pas par Mindanao pour rejoindre Bornéo ? me demande-t-il. Cela n'a rien de compliqué, je l'ai déjà fait en moto. »

Le 21 avril 2009, je me réveille avant l'aube sur le bureau d'un poste de police où j'ai passé la nuit, tout près du point de rencontre d'où part le trimaran de bois qui me conduira dans l'île de Mindanao, terre déshéritée des Philippines vaste comme trois fois la Belgique. Dans le tumulte des vagues se brisant sur les rochers, on hisse ma poussette sur l'étroite passerelle et l'embarcation quitte lentement la rive, dans le feu rose embrasant les derniers nuages de la nuit. Sur le pont bringuebalant, j'essaie de ne pas penser aux dangers à venir en braquant mes regards sur les flotteurs de bois plongeant dans l'écume à intervalles réguliers. Depuis que j'ai décidé de traverser cette île, une foule de gens angoissés ont tenté de m'en dissuader. « Mindanao, Mindanao ! À pied ? Mais tu n'as pas peur du MIM (Mindanao Independence Movement), du MNLF (Moro National Liberation Front), du MILF (Moro Islamic Liberation Front)... Et si tu croises Abu Sayyaf ! » L'île abrite en effet l'un des plus dangereux groupes islamistes armés du pays, responsable d'un grand nombre d'attentats à la bombe, de meurtres et d'enlèvements. Son but ultime est de créer un grand État islamique dans la péninsule malaise, ce qui n'est pas rien et nécessite beaucoup d'argent, que l'organisation se procure en kidnappant tous ceux qui ont le malheur de s'égarer dans son périmètre. Leurs discours alarmistes m'impressionnent un peu, mais ces luttes ne me concernant pas, je décide de tenter ma chance. Au matin du 24 avril, je m'engage sur la route incertaine qui conduit vers Zamboanga, à 700 kilomètres à l'ouest de l'île. Des toits de tôle rouillée enchevêtrés de la ville de

Butuan surgissent des feuilles de bananiers. Des hommes armés en tenues de camouflage vertes sont déployés dans le centre-ville, teintant d'une atmosphère inquiétante la cohue habituelle des *jeepneys* et des motos-taxis. J'ignore ce qui se passe, mais personne ne semble se soucier de leur présence. En réalité, 70 % des forces armées du pays sont concentrées sur l'île de Mindanao, protégeant ses ressources minières et ses vastes cultures industrielles, la richesse des Philippines. Une richesse très mal partagée, je le comprends vite : alors que la région contribue à 60 % de la richesse nationale, elle reçoit à peine 20 % de son budget, et la pauvreté fait rage dans des communautés éclatées, où 13 millions de chrétiens descendants des colonisateurs espagnols côtoient 4 millions de musulmans immigrés de l'Indonésie toute proche, et 2 millions d'indigènes semi-nomades vivant dans la forêt, les Lumad, dépossédés de leurs terres, perçus comme des « sauvages ». Dans cette mosaïque, chacun se sent, au choix, dépouillé par les autres, exploité, opprimé, persécuté ou bridé dans ses libertés les plus fondamentales. Un terreau explosif sur lequel prospèrent injustice, mauvaise gouvernance et abus de pouvoir : Mindanao pourrait être florissante, mais c'est une poudrière.

Les premiers jours pourtant, sur la route en dents de scie avant Cagayan de Oro, je traverse des villages colorés où la vie semble s'écouler paisiblement. Un homme me vend du *dao*, sorte de yaourt chaud mélangé à ce qu'ils appellent des œufs de grenouille sucrés en une gelée succulente. Plus loin, un autre fait tranquillement la sieste sur sa moto, affalé sur le guidon, pendant que sa compagne, à l'arrière, attend patiemment qu'il se réveille. Plus loin encore, un groupe s'affaire à peser un cochon couché sur une balance, les quatre pattes attachées, en face d'une cocoteraie où des cueilleurs joyeux semblent se féliciter de l'énorme tas de fruits qu'ils vendront à un bon prix aux négociants de coprah. Devant les maisons de planches et de bambou recouvertes de toits de palme, une famille prend le frais à l'ombre d'une véranda. La voix hésitante d'une chanteuse s'élève du salon de karaoké, dressé juste à côté du marchand d'ananas. À Odiongan, je fais halte dans un petit kiosque familial pour manger quelques avocats sucrés, et le maire de la municipalité, le Barangay Captain, me reçoit pour la nuit. Je m'endors en songeant que la vie a parfois la douceur d'une lagune…

Quelques jours plus tard, apercevant au loin l'île de Camiguin perdue dans les nuages, j'entre dans un restaurant portant l'inscription « hallal », tout près d'une mosquée. Dès que j'apparais, l'atmosphère se tend, puis je prononce quelques formules de politesse en arabe et les visages s'animent. « Tu es musulman ? me demande-t-on. – Non, mais j'ai beaucoup marché en pays musulman, et partout on m'a bien reçu. » Aussitôt une assiette apparaît devant moi, débordant de riz et de poisson. Lorsque je m'en vais, la jeune serveuse me glisse : « Dans Zamboanga, s'il te plaît, sois prudent. »

Alors que je quitte la ville d'Iligan, songeant aux attentats et aux enlèvements dont on m'a tant parlé, l'ambiance change brusquement. Aux abords d'une rivière, des militaires détournent la circulation vers un pont temporaire : il y a tout juste deux semaines, une bombe a fait exploser la structure au niveau du tablier. Au poste de police où l'on m'envoie passer la nuit, je tombe sous la couverture des services de sécurité. Le lendemain, deux militants pour la paix, Jun Enriquez et son amie Jayshree, me rejoignent pour marcher avec moi, et leurs explications me font apparaître l'environnement sous un jour plus tragique. Jun me montre les ruines de la coopérative bancaire et de maisons dynamitées portant encore des traces de balles, dévastées par les rebelles du MILF (le Moro Islamic Liberation Front, le terme *Moro* désignant les indigènes musulmans du Sud philippin) descendus des montagnes. C'était il y a huit mois. Après ce raid brutal, les survivants ont fui vers la côte… La voix tremblante d'émotion, Jun me montre l'endroit où sa mère a vécu, près d'une usine artisanale d'extraction d'huile de coprah. La route, aujourd'hui, est jalonnée de postes de contrôle. Il y en a tous les trois à cinq kilomètres. Quel paradoxe! J'ai déjà, dans le passé, bénéficié d'escortes policières, mais cette fois j'attire aussi l'armée et les services de renseignements, entourant de leurs armes le marcheur pour la paix. À Kolambugan, l'un de ces soldats m'explique qu'il porte le poids de quatre cents balles en plus de son arme imposante. Son collègue se coltine des boulets et une arme de type bazooka – je n'y connais rien, je suis novice en matière de joujoux à massacre. À un moment, je compte trente militaires autour de moi! De l'autre côté, dans les montagnes, les groupes séparatistes ont aussi leurs services d'investigation, ils savent que je suis là. « Rassurez-vous, me disent les soldats. Les rebelles ne bougeront pas de leur nid! » Je me sens comme une marionnette ambulante dont deux camps se disputent les ficelles, cela m'agace prodigieusement. Les 400 kilomètres de marche militaire jusqu'à Zamboanga sont couverts à un train d'enfer. La machine est en marche! L'ordre de mission est clair: conduire ce marcheur jusqu'au bateau pour la Malaisie sans la moindre anicroche, sinon ça ira mal. Je m'habitue à marcher, manger et dormir avec eux. Ils sont si gentils, si délicats pour moi! Cela doit les distraire de la routine de leur quotidien. Et ça fait de l'exercice… Un matin, un groupe d'enfants curieux se colle à notre convoi et se met à marcher avec nous, créant avec ces soldats un effet de parade tout à fait cocasse. Je m'amuse à leur faire répéter: « On veut la paix! On veut la paix! », et alors que nous scandons allègrement ces slogans pour les enfants d'ici et d'ailleurs, je remarque quelques soldats s'oubliant à chanter avec nous…

Aux portes de la ville de Pagadian, un 4 × 4 et son escorte déboulent brusquement sur la route. Le maire en sort, avec un garde du corps à lunettes noires qui se met à scruter les alentours, un pistolet sur l'estomac. «Tu es dans une zone à haut risque, me dit le maire. Il y a souvent des assauts de rebelles qui viennent de la rivière, tu es fou de marcher ici.» Je m'apprête à lui répondre que la police militaire m'escorte et que tout est sous contrôle quand je réalise soudain que mes gardiens se sont envolés. Il n'y a plus personne! Ce territoire n'étant plus sous leur juridiction, ils s'en sont allés. Le maire rembarque dans son camion avec son Schwarzenegger, et ils me laissent en plan dans un nuage de poussière. Ne reste à mes côtés qu'un policier ventru sur une petite motocyclette, qui me presse: «*Hurry up, Jean, hurry up!*» (Jean, marche plus vite!) Je me mords les lèvres pour ne pas éclater de rire.

Quelques jours plus tard, je sympathise avec l'un des agents du renseignement affectés à ma surveillance, vêtus en civil. Dans les années soixante-dix, m'explique-t-il, la zone était réellement dangereuse, jusqu'à ce que l'armée rentre sérieusement dans le flanc de la rébellion. C'est désormais plus calme. Seuls 10 à 15% du territoire sont encore en zone rouge. Les cultures du riz, du coprah, du latex sont importantes, le secteur minier également, mais tout cela a dévasté l'environnement et n'apporte pas grand-chose aux locaux. Le kidnapping est une industrie nettement plus lucrative: un groupe, non loin d'ici, détient en ce moment trois professeurs philippins issus de familles ordinaires, pour lesquels ils réclament des millions de pesos. Est-ce cette ambiance troublée qui permet de regarder la mort avec un certain détachement? L'enseigne affichée sur la façade d'une maison funéraire m'intrigue: *Lucky Funeral Home*. On me raconte que dans cette région où les jeux d'argent sont en général interdits, une exception est faite en période de deuil familial. Les décès sont donc l'occasion d'engager des paris! Il arrive que les corps soient bourrés de formol pour être conservés. Certains n'hésitent pas à louer des cadavres qui, pendant plusieurs semaines, reposent dans ces tripots plus ou moins clandestins.

À l'approche de Zamboanga, dans la zone la plus dangereuse de la péninsule, la sécurité se renforce autour de ma poussette. Vingt officiers, deux véhicules et cinq membres de l'agence de renseignements renforcent le corps de police, reliés en permanence avec le commandement général. « Ne vous inquiétez pas ! » me dit-on. Avec un tel arsenal, je serais fou de m'inquiéter…

Sur le bateau qui m'entraîne vers Bornéo, contemplant Zamboanga qui se fond peu à peu dans une mince bande de terre, je salue une dernière fois l'armée, les rebelles, les indigènes oubliés et les envahisseurs maures et espagnols. Pour quelques épices, quelques terres, pour vos dieux… qu'avez-vous fait de cette île ?

LA TERRE SOUS LE VENT

19 mai 2009 – 16 juillet 2009

→ MALAISIE (BORNÉO) →

J'achète des œufs de canard vieillis dans une échoppe chinoise. Je marche depuis quatre jours sur l'île de Bornéo, dans l'État nord du Sarawak appartenant à la Malaisie orientale. Le temps vire à l'orage. Je n'ai presque rien à manger, peu à boire, et je marche et marche encore dans une plantation de palmiers gigantesque qui semble aligner ses rangées jusqu'à l'infini. Je ne m'attendais pas à un tel paysage. La forêt primaire de Bornéo, trésor de biodiversité abritant une multitude d'espèces rares, n'est pas ravagée que par les incendies : la culture du palmier à huile s'y propage à une vitesse fulgurante, détruisant tout sur son passage, arbres, plantes, tuant toute vie. La monoculture se déploie sur des centaines de kilomètres, les feuilles de palme déroulant leurs rangées rectilignes sur l'horizon, déferlant par-dessus les montagnes avec une régularité angoissante. Depuis des jours je ne vois que des palmiers, comme une peste rongeant la terre, cela me donne envie de pleurer… Dans la chaleur humide de Bornéo, ma poussette me paraît plus lourde et j'espère trouver un abri avant que l'orage éclate. La pluie se met à tomber violemment au moment où j'entre dans la cabane d'un gardien, à l'orée d'un champ de palmiers. Je dépose une conserve de poisson sur la table et sa femme nous prépare du riz, que nous partageons en écoutant la pluie crépiter lourdement sur les arbres. Je continue ma route au pays des palmiers dans la consternation : est-il possible que nous consommions autant d'huile ? Qui la mange ? D'énormes camions de bois me dépassent dans une gerbe de poussière, puis j'aperçois au loin les gueules en mouvement des pelles mécaniques arrachant la terre.

Dans un an, des palmiers s'aligneront sur cette terre défrichée.

Dans un siècle, la terre sera érodée, et il n'y aura plus rien.

À l'approche de Ranau, dans le centre montagneux de l'île, les plantations disparaissent enfin, et la vie réapparaît dans les villages de maisons montées sur pilotis, le linge séchant sous le toit des galeries piquées de fleurs chatoyantes. Je partage mes repas avec les locaux. Quelquefois, au bord de la route, il y a un ruisseau, une source ou un trou d'eau près duquel une serviette et un bocal contenant savon et brosses à dents sont pendus à un piquet. Voilà la salle de bains de ces gens ! Souvent, en fin de journée, des groupes de jeunes courent en riant sur des pelouses carrées, se livrant à un habile jeu de ruées de pieds contre une balle de jonc tressé. Leurs pères les couvent du regard en sirotant à la paille un peu d'alcool de tapioca, si délicieux que je pourrais m'en soûler jusqu'au bout de la nuit. Nous discutons gentiment, mais sans réellement nous comprendre. Alors que je monte vers le mont Kinabalu, le plus élevé de Malaisie, qui culmine en dents de scie à 4000 mètres d'altitude, le paysage de montagnes majestueuses se confondant en dégradés de bleus semble sali, où que je regarde, par des pelles mécaniques, de jeunes plants de palmiers trouant la forêt en lui donnant l'aspect d'une pauvre couverture mangée par les mites. J'en ai la gorge nouée. J'aborde le sujet avec un jeune homme qui s'arrête pour me parler… Réchauffement, déforestation, érosion : ce vocabulaire le laisse de marbre. Il ne comprend rien à ce que je dis. Au contraire, le développement agricole lui paraît une opportunité formidable, gage de richesse et de développement. Mais qui suis-je, finalement, pour le mettre en garde ? N'avons-nous pas nous-mêmes mis nos terres à nu ? Avant d'envahir les leurs, et de changer leurs valeurs. Lorsque j'ai commencé ma marche, l'expression « développement durable » n'était pas aussi populaire. Elle est apparue un matin dans le cerveau confus d'un Occidental « impliqué » aveuglé par cette croyance absurde qu'en créant un mot, on pouvait faire naître une réalité. Le développement durable n'existe pas. On se développe, ou pas. On produit des objets ou on n'en produit pas. On cherche son bonheur dans les gadgets et les jouets en série, ou on fait un autre choix. Et chacun de ces choix aura des conséquences. Les déchets s'accumulent sur terre et dans les eaux comme une magie noire, tonnes et tonnes invisibles de particules sordides s'accrochant dans l'atmosphère. Nous avons enseigné ce « bonheur » au monde qui l'a trop bien appris et marche à toute vapeur vers l'hyperproductivité, un volume monstre de gens rêvant de ce style de vie suprême. Comment leur dire d'arrêter, que nous nous sommes trompés et qu'il faut désormais se contenter de ce qu'on a ? Il n'empêche… Je me sens déprimé, accablé de tristesse, quand je songe à l'avenir des enfants de ces pays : lorsqu'ils verront le jour, leur paradis, qui est en train de mourir, sera déjà perdu.

Nul pourtant, sur ces terres, ne semble en avoir réellement conscience, certains vivant encore en parfaite harmonie avec cette nature sauvage et exubérante. La forêt primaire de Bornéo, avec son climat chaud et humide, aux sous-bois protégés des rayons du soleil, héberge un nombre impressionnant d'espèces rares, où des plantes improbables se déploient dans un univers unique. De lourdes fleurs jaunes, blanches, violettes jettent leurs feux sur le bord de la route, des milliers de papillons virevoltant deux par deux dans les rayons du soleil. De gros lézards se glissent entre les orchidées et des fleurs gigantesques au profil rappelant celui des calaos rhinocéros. Plantes carnivores, fruits du dragon, savoureux champignons rouges, feuilles et baies fascinantes et multiples que les femmes rapportent des champs et des forêts.

Dans la province du Sarawak, près de la frontière du sultanat de Brunei, je fais la rencontre d'une ethnie étonnante, les Iban, qui furent autrefois une grande tribu guerrière de Bornéo. Aujourd'hui sédentarisés, cultivant les plantations d'hévéas, ils ont adopté le christianisme tout en conservant leurs coutumes et croyances ancestrales. Je tombe immédiatement sous le charme de leur mode de vie communautaire lorsqu'un soir, j'arrive devant une de ces *longhouses* où je suis accueilli par le chef. La maison longue, joliment peinte en jaune et montée sur pilotis, présente une partie ajourée dans laquelle la communauté se rencontre, comme une place de village, prolongée à l'intérieur par une longue galerie bordée d'une vingtaine de portes. Par ce corridor, chaque famille accède à son logement privé. Le chef de la maison, les épaules tatouées des signes de son clan, me guide en repoussant les enfants dans sa demeure colorée, toute décorée de dentelles, de centaines de bibelots et de pièces d'artisanat. Son plastron de cérémonie et son couvre-chef piqué de longues plumes et de joncs finement tressés sont exposés au fond de la vaste pièce, d'une propreté impeccable et parfaitement ordonnée. Sa société, m'explique le chef, occupe une place à part dans la Malaisie islamique. Le christianisme ayant semblé aux Iban plus compatible avec leur mode de vie, ils y ont cédé sans renoncer à une foule de croyances découlant de leur lien profond avec la nature. Brandissant une machette au manche sculpté en forme de tête d'oiseau, il m'explique qu'autrefois, lorsque les Iban revenaient de la forêt, ils devaient se rendre auprès de leur chef pour que le sage interprète les messages envoyés par la nature. Si le cri de l'oiseau bavard était méchant, par exemple, le message était clair : la jungle pouvait receler des dangers. Ordre était donc donné de suspendre la chasse, la cueillette et les travaux dans les bois pour au moins quelques jours. Lorsque je lui demande s'il croit encore à cela, le digne homme baisse les yeux en soufflant : « non, ce sont des chimères », mais je ne le crois pas. En revanche, il rit en me certifiant que son peuple a cessé depuis longtemps de « chasser les têtes ». À la bonne heure ! On les aurait toutes enterrées, assure-t-il, après la christianisation. Un silence. Puis soudain, me lançant un regard perçant, il chuchote : « Regarde en haut, à gauche. » Eh ! Quoi ? Je me retourne. « Elles sont juste là, au-dessus de la troisième porte, accrochées au plafond. Viens que je te montre. » Nous nous approchons et de sa lampe de poche, le chef éclaire huit ou neuf crânes aux mandibules noires et poussiéreuses, les chairs séchées enfermées dans une structure circulaire grossièrement enrobée dans des feuilles de roseau. Je suis impressionné. Elles ont plus de soixante-dix ans, m'explique-t-il, et appartiennent probablement aux membres d'une maison longue ennemie. La pratique n'a cessé qu'en 1920. On dit que le brave guerrier qui rapportait une tête s'attirait la faveur des dames. Sous les crânes, une corbeille recueille les offrandes… Juste à côté, accroché à un poteau, un autre panier est rempli de racines, de morceaux de bois et de lianes, de cornes d'animaux sauvages symbolisant l'univers de la forêt. Dans les périodes de sécheresse, le tout est aspergé d'eau au cours d'un rituel de prières.

Le soir venu, à la veillée, après nous être baignés dans le ruisseau, j'essaie d'imaginer les échanges entre les premiers hommes, faisant aller leurs bouches et leurs cordes vocales dans des sonorités semblables aux cris des oiseaux ou au cliquetis des insectes. Dans ces premiers balbutiements de jeux sonores, ce devait être incroyablement hilarant quand, en famille, ils s'essayaient à explorer la gamme de sons que pouvaient produire leurs lèvres. Ils devaient rire aux larmes, et c'est probablement l'une des premières farces du monde !

LE PETIT EMPIRE DU RICHE SULTAN

8 juin 2009 – 18 juin 2009

→ **BRUNEI** →

C'est un pays de rien du tout, enclavé dans le Sarawak malaisien, au bord de la mer de Chine, assis sur de phénoménales réserves d'hydrocarbures. Avant de traverser le sultanat du Brunei, j'aurais été bien incapable de le situer sur une carte. Et pour cause : ce micro-État de Bornéo vit sous la coupe d'un sultan mégalomane trop occupé à compter ses pétrodollars pour faire autrement parler de lui. Il faut dire que son papa, le grand Omar Ali Saifuddin, était plutôt malin. Lorsque les colonisateurs britanniques se retirèrent de la région en créant la Grande Malaisie, il comprit qu'il risquait de perdre le monopole de l'exploitation de son pétrole et se plaça sous protectorat britannique. Le Brunei conservera ce statut jusqu'en 1984, et son rejeton, le sultan Hassanal Bolkiah Muizzadin Waddaulah, serait aujourd'hui à la tête de la plus grande fortune personnelle au monde. Il possède plus de cinq mille voitures de luxe ! Oui, cinq mille ! Sur un si petit territoire, je me demande bien ce qu'il peut en faire.

L'histoire me semble tellement exagérée que j'entre dans le pays sans même m'en indigner. À cette famille qui me reçoit dans sa jolie maison, je demande tout de même comment est leur sultan : « Nous aimons Sa Majesté, répondent-ils. Elle est bonne et généreuse avec nous. » Au ton qu'ils emploient, empreint de reconnaissance, je les crois sur parole. Les habitants du Brunei comptent parmi les plus riches d'Asie, et s'ils n'ont aucune liberté (réellement pas la moindre), au moins ils peuvent bénéficier de l'éducation et des soins de santé gratuits. Curieusement, pourtant, la misère n'est pas jugulée : 20 % des habitants vivent en dessous du seuil de pauvreté. Que voulez-vous, on ne peut pas à la fois voler dans un Boeing 747 décoré d'or et de cristal et nourrir tout son peuple. D'ailleurs, cela ne gêne personne, et surtout pas la compagnie Shell, qui conserve – allez comprendre ? – le monopole d'exploitation des ressources pétrolières. Le sultan touche des redevances pharaoniques, et tout le monde est content. Dans la ville de Bandar Seri Begawan, la capitale du pays, un Occidental débordant d'enthousiasme descend de sa *station-wagon* et se jette sur moi en parlant dans un français approximatif. Alan, un enseignant australien, vit ses derniers mois dans le pays et m'invite dans sa maison, où je rencontre sa femme. Pauvre Alan ! Des mois d'ennui dans ce pays musulman strict où tout est interdit (le porc, l'alcool, les amusements, les filles…) ont mis au défi son endurance. Il est tout heureux de se divertir et m'entraîne, avec ses compatriotes travaillant à l'École internationale, visiter le typique village sur l'eau. Près de 40 000 personnes vivent dans ce quartier entièrement construit sur pilotis. Cette « Venise d'Asie » n'est pas des plus luxueuses, mais il faut comprendre : tout l'argent a filé dans la construction du palais royal, dont mon guide me montre au loin l'énorme coupole d'or. Il aurait coûté 350 millions de dollars, et compte la bagatelle de 1788 chambres. Voilà qui est fort utile, me dis-je. Mais je n'ai encore rien vu… Le lendemain, Alan m'emmène visiter le bâtiment le plus follement exubérant que j'aie jamais vu : l'hôtel *Empire*, construit par le frère du sultan, Jefri, à l'époque où il était ministre des Finances. Ce palace était destiné à recevoir dignement les hôtes du sultan – à l'étroit, il faut croire, dans le palais royal. La construction de cette magnificence a coûté 1,6 milliard de dollars ! Un gigantisme tel qu'un embryon de polémique a tout de même vu le jour – amplifié par les détournements de fonds colossaux opérés par le frère – et le bon sultan a fini par limoger Jefri. Les Brunéiens ne payant pas d'impôts, personne n'y a trouvé à redire.

Le soir venu, nous plaisantons autour d'un fruit local à l'odeur nauséabonde, le durian, dont je me régale au grand dépit de mes hôtes, prêts à photographier mes grimaces. On s'amuse d'un rien, au Brunei. L'adorable Alan m'accompagne jusqu'à la sortie de la ville, et je m'en vais sans me retourner, avec le sentiment que son regard s'accroche à mon épaule, comme s'il rêvait, lui aussi, de partir.

TERRA AUSTRALIS COGNITA

20 juillet 2009 – 29 septembre 2010

→ SINGAPOUR → INDONÉSIE → TIMOR ORIENTAL → AUSTRALIE →

– C'est tout ce que vous avez, comme carte?

Je jette à l'employé du bureau du tourisme un regard agacé. Il n'a pas l'air de comprendre : je vais traverser le continent à pied, de Darwin à Port Arthur. Six mille trois cents kilomètres. Un an de marche à travers des savanes, des déserts, dans l'immensité solitaire des territoires du Nord, du Queensland et jusqu'en Tasmanie. Des centaines de kilomètres sans croiser âme qui vive. Il me faut une carte.

– Ben vous l'avez, la carte, me dit-il, étalant sur le comptoir un rectangle quasiment vierge. Là c'est le Queensland, et les points marquent les relais routiers.

– Non, ce qu'il me faut, monsieur, c'est une carte détaillée. Il y a au moins 300 kilomètres entre chacun de vos points. Je veux savoir ce qu'il y a au milieu.

– Ben… Il n'y a rien.

– Comment ça, rien?

– Non. Rien.

D'un seul coup, j'ai le cœur qui s'arrête. Je m'attendais à des zones isolées, mais pas à ce point! Des jours et des jours de marche sans le moindre ravitaillement… Jenny me ramasse sur le trottoir et tente de me réconforter. « Ne t'inquiète pas, tu trouveras des points d'eau, des citernes. Mais il faudra la purifier. » Brave Jenny, qui me reçoit dans sa maison de Darwin, pleine de sollicitude pour ce marcheur déboussolé qui s'apprête à se lancer dans sa dernière folie. En voiture, ces routes désolées sont réputées dangereuses. Personne ne les emprunte à pied ; encore moins en plein été ! Mais je suis déterminé. Je marcherai l'Australie, ce sera mon dernier grand défi. En dépit du danger, je ressens le besoin brûlant de me lancer sur cette route, de vivre l'aventure ultime avant mon grand retour. J'ai aussi, curieusement, grand besoin de solitude.

Les derniers mois passés sur l'île de Java, en Indonésie, ont mis mon endurance à l'épreuve. Des semaines immergé dans une ville perpétuelle, maisons, immeubles et bidonvilles, agglomérations surpeuplées, partout des hommes et des hommes entassés le long de la route dans des villes polluées, survivant trop souvent dans la violence et la pauvreté. Mon arrivée en Australie a constitué un premier choc. D'un monde où l'on se bat pour manger, j'arrivais dans un autre où l'on se fait violence pour ne pas trop le faire, se distrayant de la table en jouant avec des gadgets. J'ai besoin de calme, de solitude, j'aspire à entrer en moi-même.

Le 8 octobre 2009, la poussette chargée de bidons d'eau et de boîtes de conserve, je m'engage sur la Stuart Highway, axe mythique traversant le continent du nord au sud, de Darwin à Adélaïde. Je vais la suivre en ligne droite sur un millier de kilomètres jusqu'à la ville de Tennant Creek, au milieu du désert, puis j'obliquerai vers l'est sur la Barkly Highway, traversant l'État du Queensland jusqu'à la mer de Corail. Il fait une chaleur écrasante. Je marche à foulées régulières sur une langue d'asphalte rectiligne, dans la savane hérissée de termitières géantes. De loin en loin, un vacarme assourdissant déchire le silence et de longs trains routiers, gigantesques camions à trois remorques, me doublent dans un hurlement de klaxon. La première fois, j'envoie par réflexe un signe de la main au chauffeur. Les quatre voies de la route étant entièrement libres, il a de quoi me laisser un espace confortable de sécurité. Mais ce mastodonte me frôle au point de m'aspirer presque ! Sitôt le convoi passé, une voiture s'arrête et le conducteur, affolé, me crie au visage: «Tu es fou? Tu mets ta vie en danger!» Je lui réponds que je le sais, puisque je fais le tour du monde à pied. Mais je n'avais encore jamais rencontré de ces chauffeurs à l'esprit de tueurs.

– Il avait toute la route pour lui, il pouvait s'écarter.

– Mais il y a une double ligne blanche, tu n'as pas vu?

Et l'homme repart, excédé, en secouant la tête d'un air réprobateur. *Welcome to the extreme West!* Si tu es sur ma ligne de propriété, je te tue.

Cet homme avait raison. Je vais suivre ses conseils. Comme la mer a emporté le grand navigateur Éric Tabarly, la route pourrait aussi me réclamer son tribut...

Je franchis les 350 kilomètres séparant Darwin de Katherine, la dernière ville avant le bush nord-australien, dans un paysage assez verdoyant de savane. Les arbustes sont suffisamment hauts pour m'offrir un peu d'ombre, mais je résiste au désir d'installer mon bivouac dans la fraîcheur des rivières infestées de crocodiles. Les terres bordant la route appartiennent à d'immenses fermes d'élevage de plusieurs dizaines de milliers d'acres dont je ne croise jamais les corps d'habitation, installés plus loin à l'intérieur des terres. Entre les rares villages, des relais routiers permettent au voyageur de faire le plein d'essence, un brin de toilette et quelques emplettes. Tous les 30 à 100 kilomètres, je croise des aires de repos, simples bancs de béton recouverts d'un auvent. C'est tout. Néanmoins la route est belle et le trafic léger. La nuit dernière, depuis ma tente plantée sur la terre rouge sous un ciel d'acacias, j'entendais des wallabies bondir entre les broussailles. Ces petits kangourous me sont très sympathiques, avec leurs gestes vifs et leur manière de me rôder autour. Certains Australiens, pourtant, les ont en horreur, les qualifiant de «peste», de «gros rats». Ces réflexions m'amusent, et je me demande lequel des deux est la peste. Depuis que l'homme a apporté de l'eau partout dans le désert, ces bestioles se multiplient. Pour manger, comme la nature ne produit pas davantage, elles se concentrent autour des fermes qu'elles ravagent consciencieusement... Ça me paraît de bonne guerre. À quatre heures du matin, je suis réveillé par un concert d'oiseaux chantant à pleins poumons. Je savoure leurs modulations mélodieuses en songeant que bientôt, ils auront disparu. Au cours de ces années, j'ai traversé de nombreux déserts, et je sais reconnaître les différents changements qui s'opèrent en moi-même. En ce début d'octobre, je n'ai pas encore achevé la phase d'observation. J'étudie mon environnement, attentif aux détails pour tenter de m'y adapter au plus près. Ensuite la solitude viendra, et je souffrirai du manque d'interactions humaines, avant de l'accepter et d'atteindre la plénitude en me perdant en moi-même.

Cette fois pourtant, la proximité de mon retour et la hâte immense que j'ai de retrouver Luce font naître de nouvelles angoisses. Sur cette terre isolée, non loin d'ici, il existe un grand trou, large de 50 mètres et d'au moins 300 mètres de profondeur. Il est creusé dans une pierre grise, au fond froid. Ce gouffre s'appelle « inquiétude » ; il faut se garder d'y tomber, car on peut en mourir. Un matin, alors que je marche tranquillement en laissant mon esprit voguer au-dessus de la savane, je commets l'erreur d'arrêter au vol un fragment de pensée. « Où est Luce en ce moment ? Que fait-elle ? Est-ce qu'elle va bien ? » Terrible mégarde. Aussitôt cette pensée s'accroche, elle me colle au cerveau, elle grossit, s'insinuant tel un poison dans chacun de mes membres. Voilà une semaine que je n'ai pas eu de nouvelles, pourtant mon cellulaire a capté un réseau à différentes reprises. Où est-elle ? Elle a peut-être eu un accident, ou pire, une attaque ? Je l'imagine seule, impuissante, allongée sans connaissance sur le plancher glacé de notre appartement. Et me voilà courant dans la savane brûlante brandissant mon téléphone, sautant sur les rochers pour tenter de capter un signal. Rien. RIEN! Alors je marche, de plus en plus vite, talonné par l'urgence d'arriver à Katherine où je pourrai téléphoner, alerter les secours, lui envoyer une ambulance! Plus j'accélère et plus mon imagination s'égare. Je l'entends qui m'appelle, qui me supplie. Je cours. Voilà qu'il y a du sang, maintenant! Elle a dû se blesser contre une table en tombant. Vite, vite! Il n'est peut-être pas trop tard... La fatigue, la chaleur, l'oxygénation massive de mon cerveau alors que je m'épuise dans l'effort amplifient sans doute ma perte de raison. Heureusement, la crise s'estompe avant que j'atteigne la ville. J'essaie de stabiliser mes sentiments en me concentrant sur mes pas. Respire, Jean. Marche encore. J'ai confiance en la vie, j'ai confiance... J'ai confiance...

Lorsque j'entre dans Katherine, j'ai l'air parfaitement normal.

Si tant est qu'un type abruti de poussière, le visage rongé par une barbe de dix jours et poussant un chariot puisse avoir l'air normal. L'avantage dans le bush, contrairement à New York, c'est que personne ne s'en formalise. Dans la musique des haut-parleurs diffusant dans la ville quelques airs de country, je lie connaissance avec les habitants, m'efforçant de récolter autant d'informations que possible avant d'affronter ce que j'anticipe comme la partie la plus dure de mon périple australien. Sur les 700 kilomètres de désert qui me séparent de Tennant Creek, je ne croiserai que deux petites localités. La radio chante *It's a long, long way...* mais les locaux me rassurent: il existe sur mon parcours des endroits où trouver de l'eau. Le plus souvent, il s'agira de citernes, espacées les unes des autres d'une centaine de kilomètres, dont je boirai le contenu à mes risques et périls. Un homme griffonne un dessin dans un coin de mon carnet: «À 30 kilomètres, sur le côté gauche du pont, tu trouveras un conteneur d'eau juste à côté de la poutre. Environ 35 kilomètres plus loin, à l'intersection de la petite route, il y aura la même chose à la droite du tuyau de ciment, sous la route. »

Je pars, la poussette chargée de vivres, le regard rivé sur l'horizon où disparaît la route, ruban de bitume infini. Il m'arrive quelquefois de disparaître en moi-même, et lorsque ma conscience se réveille au bout de quelques heures, dans l'immuabilité de ce paysage désertique, j'ai l'étrange sentiment de n'avoir pas fait un pas. Même terre sèche et rouge piquée de touffes de broussailles, mêmes rochers épars apportés on ne sait d'où, ni par qui, il y a combien de milliers de siècles, même asphalte embrumé se perdant à l'horizon. Seule l'intensité déclinante du soleil me confirme que le temps a passé. J'ai chaud. Et j'ai la gorge sèche. Après Katherine, une sorte de ganglion a gonflé sous ma mâchoire gauche. Je pensais que mon système combattait un microbe, mais voilà que la protubérance revient. L'air brûlant assécherait-il ma gorge ? La route est longue, éprouvante, pourtant je conserve un moral d'acier. Je relève mon dernier grand défi. Dans un mois environ, je serai à Mount Isa ; après ce point, il y aura des villages tous les cinq ou six jours de marche… Ce sera presque facile. Dans cette solitude extrême, ma conscience corporelle se disloque peu à peu. Je mange à même les conserves froides, avalant à sec les nouilles instantanées. Ne pouvant transporter plus de trente litres d'eau, il me paraît prudent de me rationner. Novembre est arrivé, et j'espère éviter la pluie, car les nuits deviennent fraîches et je n'ai plus de sac de couchage ; je l'ai donné à mon fils lors de notre dernière rencontre, aux Philippines. La chaleur accumulée le jour irradie la nuit dans le fond de ma tente, pour l'instant cela me suffit. Je passe de longues heures allongé sur le sol, noyé dans les étoiles, attendant cet instant magique où, vers trois heures du matin, les oiseaux se réveillent et emplissent le désert de leurs chants mélodieux en une ode bouleversante à la vie, sous la lune.

Le 10 novembre, sale, dépenaillé, je fais halte au relais routier de Threeways, non loin de Tennant Creek. Lassé des conserves et des céréales sèches, je m'offre un solide petit déjeuner au restaurant de la station-service que je dévore sous le regard amusé du patron accoudé au comptoir, semblant trouver mon allure improbable et ma voracité fort divertissantes. « T'as besoin d'affaires ? demande-t-il. Il n'y aura plus rien d'ici à Mount Isa. Va voir les policiers, dehors. » En uniforme sur le parking, Daniel et David semblent tout heureux de trouver l'occasion de me rendre service. Ils m'offrent de me conduire en voiture de patrouille pour que je puisse faire mes emplettes. Dans la voiture, alors que je leur demande s'ils ne s'ennuient pas trop, ils manquent de s'étouffer. « Tu plaisantes ? » Tennant Creek affiche l'un des taux de criminalité les plus élevés d'Australie, m'expliquent-ils. « Violences familiales ? » demandé-je. Ils acquiescent. « Aborigènes ? » Ils hochent la tête. Comme au Canada, évoquer les problèmes d'un groupe particulier est un tabou social. Il n'empêche… Plus d'un tiers des quelque 3000 habitants de la ville sont des aborigènes de l'Outback. Et beaucoup, comme ailleurs, sont minés par l'alcoolisme, les violences conjugales, un mauvais état de santé général et la criminalité. Plus d'un quart de la population carcérale adulte, dans le pays, est d'origine aborigène, alors qu'ils représentent à peine plus de 2% de la population. Les façades de la rue principale de Tennant Creek racontent l'histoire de la ville et de ses sinistres campements autochtones bien mieux que les brochures touristiques : Service des affaires sociales, aide juridique, palais de justice, poste de police… « Il n'y a rien à faire, soupire David. Quels que soient les programmes mis en place, la situation empire. » En faisant mes achats au supermarché à des prix battant tous les records, je me demande à quoi pouvait ressembler la vie des gens d'ici avant la ruée vers l'or. Avant que la fièvre, la cupidité, les rêves et l'alcool déferlent sur ce hameau au cœur des années trente, puis s'en retirent vingt ans plus tard, laissant un sol pillé et une ville champignon détraquée. À la croisée des grands chemins du sud et de l'est, Tennant Creek est restée. Les aborigènes, présents dans la région depuis quarante mille ans, aussi. Pourtant tout a changé.

Je quitte la Stuart Highway pour m'en aller vers l'est et l'État du Queensland par la Barkly Highway. Je m'étais imaginé une route moins solitaire que la voie précédente ; c'est pire. L'air est horriblement chaud et sec, le ciel d'un bleu limpide à peine troublé, parfois, de petits cumulus. Le soleil m'évoque le spot blanc et hostile des interrogatoires à brûler la rétine, impossible de lui faire un clin d'œil. En scrutant l'horizon, parfois, par-delà le mirage aqueux, je me dis que bientôt, je m'arrêterai là-bas, pour dormir et manger et offrir une pause à mon corps douloureux. J'essaie de me motiver, mais la lassitude me gagne. J'en deviens bipolaire à force de faiblesse, oscillant entre l'obsession et l'accablement, je marche et je marche et je marche, le regard hypnotisé par ma roue avant qui roule sur la ligne blanche en bordure de l'asphalte brûlant, encore et encore. Souvent de mini-tornades passent me rendre visite, brisant la monotonie de mes pas, mais elles sont suivies d'un contrevent sec m'arrivant en pleine face qui m'oblige à me coucher sur ma poussette, tous les muscles tendus, pour la faire avancer, maudit chariot trop lourd du prix de ma subsistance et de l'eau et de la bouffe que je traîne, pourquoi diable faut-il que l'homme mange autant ? Je cherche une distraction pour contrer la colère, mais RIEN, c'est plein de RIEN et RIEN. L'absence existe, je la vois, je la prends en photo, des arbustes sur fond de ciel bleu. J'ai la gorge asséchée au point que des petits points secs apparaissent dans ma bouche. Je bois dix à douze litres par jour, même la nuit je me réveille la gorge comme ensablée, et je fouille comme un diable dans le noir absolu pour trouver mon « eau de vie ». Et pourtant… Comme au Chili, comme en Afrique, j'atteins la joie profonde née de ma toute-puissance. Je suis Dieu à nouveau, et pour la dernière fois! Merveilleuse liberté qui m'emplit tout entier. Dans le refuge fantastique de mon être, j'explore les fantaisies que personne ne peut voler. Elles sont miennes, tout est mien. Ailleurs il faut lutter, céder un peu de son âme… Ici elle reste intacte et se déploie sans risques. Le désert est une extension de mon être, le désert est mon for intérieur, toute cette place pour moi seul, quelle griserie! Je traverse l'éternité. Bien sûr, de temps en temps, comme je ne suis qu'un humain, je voudrais en sortir, mais je ne le peux pas. Je suis condamné au paradis.

Dans cette effrayante solitude, j'en viens presque à chérir mes pires ennemis. Les mouches. Un cauchemar, un fléau qui frappe l'ensemble du continent australien. Elles m'entourent par centaines, en essaim, de la pointe du jour au plus profond de la nuit. Elles me collent, s'acharnent sur mon visage, s'agglutinent à mes yeux en paquets bourdonnants, impossible de les repousser, ça revient, ça se pose, ça reste, ça saute d'une joue à l'autre puis aux lèvres et aux yeux, ça finit dans l'oreille, et retour. J'en avale une poignée par jour. J'ai la tête noire de mouches, je dois me résigner. Par bonheur, je possède une petite moustiquaire que je fixe à mon chapeau, et même en s'acharnant elles peinent à se glisser dessous. Je leur dis: «Bonne nuit, dormez bien car demain, la journée sera longue.» Au matin, lorsque j'ouvre ma tente et qu'elles me collent par dizaines au visage, je leur souhaite le bonjour. «Je vous ai tant manqué?» Je leur fais alors l'offrande d'un cadeau matinal et elles se collent dessus, heureuses. Puis nous partons ensemble. Grâce à elles, j'attire d'autres amis. Lorsque je m'allonge pour la sieste à midi, de gracieux petits lézards viennent se servir au buffet dressé sur mon visage. Je me réveille avec une patte dans l'œil, une queue dans la narine. Je vous en prie, faites comme chez vous! On s'habitue à tout. Je chante à tue-tête, pour moi et pour les mouches, et parce que je suis seul. La certitude que Luce m'attend au bout de cette route doit me donner des ailes…

Dans les couleurs chaudes du soleil mourant, je m'installe pour la nuit à une centaine de mètres de la route, à l'intérieur des terres. Je me sens comme un marin au milieu de l'océan, tranquille et solitaire, jetant ses cris au silence. Je pourrais souffrir brièvement, puis mourir et renaître comme la nature le fait ici à chaque instant, personne ne le saurait. Il y a deux semaines, un passant m'a donné une bouteille de vin. Je vais le boire ce soir, ça tombe bien, la lune est pleine. Et cela fait trop longtemps qu'on n'a pas discuté, la lune et moi. La dernière fois, j'étais au Chili, dans le désert d'Atacama. Je bois. « Un jour je me suis échappé, je lui dis, pour vomir le poison que j'étais devenu. C'était il y a plus de neuf ans. Et maintenant ? Qui suis-je ? Et les autres dans l'arène, qui sont-ils ? » Elle me regarde, la lune. Encore une bonne gorgée de vin, et j'entends ses réponses. « Je t'ai botté le derrière pour marcher, t'amener au bout du monde sur les traces de personne. Alors, comme personne avant toi, tu as fait le même chemin que tout le monde, celui qui débute et qui a une fin. Jamais tes pas ne croiseront ceux de l'homme que tu étais. Les empreintes se sont effacées. Je suis ton seul témoin.
– Peu importe ! je réponds. Que je morde la poussière de ma prétention ! Je ne suis pas seul. Il y a toi, la lune, et il y a Luce, mon amour, celle qui avant moi a fait le tour du monde. Elle m'a dit : "Vas-y, va voir si notre amour est vraiment fait pour nous." » Bénis soient les marcheurs solitaires que nous sommes. Et que ce vin est bon !

Le lendemain, j'ai la gueule de bois, et un éclair de lucidité me faire voir clairement que je n'accomplis rien de très extraordinaire. Cet Outback australien, ce territoire immense parmi les moins peuplés au monde n'a connu que des héros, des aborigènes aux explorateurs anglais. Une forme d'égalité se crée entre les résidents et les voyageurs de passage, mais dans l'individualité. Cette terre ne tolère que les caractères trempés. Si tu t'y es mal pris, débrouille-toi. Tu aurais dû prévoir. Les plaintifs n'y ont pas leur place, personne ne leur viendra en aide ; le vent les emportera. Mais si tu franchis les étapes et traverses ce monde en te prenant pour un aventurier, un héros, là encore, toi seul en seras convaincu. Et si cela t'arrive à la fin, tu auras gagné ton nirvana.

Le 28 novembre 2009. Fait-il si chaud, au nirvana ? La notion de température y existe-t-elle ? Le mercure approche les 45°. Je me couvre entièrement pour éviter que l'eau précieuse ne s'évapore de mon corps, et me fouette tout le jour pour avaler au moins quelque 30 kilomètres. La saison des pluies approche, et au milieu du jour, des nuages commencent à s'accumuler dans le ciel bleu, puis rapidement d'énormes formations de cumulonimbus s'installent et se concentrent, libérant le soir venu une énergie de bombe atomique dans des pluies torrentielles. Cette chaleur et cette forme de souffrance me mettent quasiment en transe. Ces espaces vides et chauds distordent mon rapport au temps, altèrent ma perception. Je sens que mon mental est atteint. Si je plonge plus profondément encore dans ces gigantesques bulles de solitude, mon voyage pourrait basculer dans le fantastique absolu, dans la contemplation extatique, bref… je me sens à deux doigts de devenir fou. Ou alors, à deux doigts d'atteindre la sérénité parfaite ? Mes yeux ne voient qu'une bande d'asphalte se perdant au loin dans une mare d'eau, avalant alentour les touffes de buissons jaunes. Mes oreilles n'entendent que le souffle monotone du vent, ma peau ne sent que la chaleur chaude. Dans ce temps ralenti, dans cette solitude, je traverse semaines et mois sans nouvelles de cet autre monde, le « vrai » monde. Un cataclysme l'aurait détruit que je ne le saurais pas. Je joue avec cette idée tout le jour.

Un matin, je croise un homme étrange, un cycliste italien. Accoudé sur son guidon, Armando m'explique qu'il a parcouru plus de 800 000 kilomètres, et que son rêve est d'atteindre le million. C'est pour cela qu'il fait le tour de l'Australie, pour avaler des kilomètres et se rapprocher de son but. Il pédale, et ça le rend heureux. Je l'imagine hypnotisé par le roulement de sa chaîne, pédalant sans relâche, sans vivre et sans voir, accroché à son million. Récemment, j'ai aussi rencontré un jeune couple de Québécois explorant méticuleusement les moindres indications de leur guide touristique en minibus. L'un lit, l'autre conduit, d'étapes en étapes. Comme Armando, c'est ainsi qu'ils trouvent leur bonheur et leur accomplissement. Je ne sais pas trop quoi en penser… Quel morceau d'inconnu reste-t-il aujourd'hui, pour les êtres épris d'aventure ? Tout a été exploré. La quête de nouveauté a de quoi rendre fou.

J'arrive à Mount Isa, la première grande ville de l'ouest du Queensland, au matin du 1er décembre. Étrange vision que ces montagnes de terrils brisant la platitude de la plaine alentour. Mount Isa est une ville minière, très peuplée selon les critères australiens : 23 000 habitants. Une ville laide, fonctionnelle, croulant sous les installations sportives dans l'espoir d'attirer une main-d'œuvre qui rechigne dans les cratères énormes des sites d'excavation. Je ne m'y attarde pas : j'ai hâte désormais d'atteindre enfin la côte. Neuf cents kilomètres me séparent encore de Townsville et de la barrière de corail ; un mois de solitude. Encore un mois.

En quittant la ville, je traverse une région légèrement montagneuse, et je contemple le gracieux vol plané d'un aigle au-dessus du bush. Tout à coup ses ailes se replient et il plonge en piqué directement sur moi, mais au dernier moment son vol se redresse et il prend de l'altitude. Il recommence à deux reprises, j'ignore ce qui le motive. Peut-être suis-je entré sur son territoire ou croit-il que je lui dispute une proie. Ou peut-être simplement n'aime-t-il pas mon sourire… C'est pour atteindre cette perfection naturelle, songé-je, que nous nous donnons tant de mal. Cet oiseau détient une force et une technologie que l'homme ne possède pas. Alors nous l'imitons, comme nos ancêtres s'affublaient de plumes en signe de force suprême pour se donner l'illusion de détenir une puissance indestructible. Mais les autres animaux, eux, ne nous imitent pas. Occupés que nous sommes à défaire la vie sur terre, nous ne devons rien offrir de vraiment inspirant…

Dans ces conditions extrêmes, les instants les plus difficiles peuvent paraître des douceurs. Il fait plus de 45°, et j'ai le sentiment que mon ancienne vie achève définitivement de se consumer dans cette fournaise, comme si le feu ardent finissait de me purifier. Un *farmer* s'arrête et m'engueule : « *Are you crazy?* Tu es fou ! Pourquoi marches-tu dans cette chaleur ? Qu'est-ce qui te prend, tu veux mourir ? » Mais c'est parce que je veux vivre que je continue. Je constate que dans le désert, les Australiens adoptent le même comportement que les Iraniens : ils offrent de l'eau glacée. C'est absurde : cela oblige l'estomac à travailler comme un forçat pour compenser l'écart de température, et cela perturbe la digestion. Les Touaregs le savent : ils boivent du thé chaud. On peut vivre sur une terre sans lui appartenir ; les Australiens n'appartiennent pas au désert. Ils l'occupent et l'exploitent, c'est tout. Je remercie néanmoins leur générosité et attends que le soleil réchauffe le précieux liquide dont j'avale huit à douze litres par jour. Le cours de l'eau dépasse celui de l'or… Un soir, alors que j'étouffe, il m'arrive brusquement une nostalgie de neige, de cette terre verte et blanche où je suis né. Je ne connais pas vraiment le Canada, je ne l'ai pas visité, et lorsque j'y vivais, je ne le regardais pas. Il me semble que je ne le verrais plus, désormais, avec les mêmes yeux.

Je ne croise pas âme qui vive. À perte de vue, de la terre, de l'herbe jaunie, des arbustes. Il n'y a rien et pourtant, les terres bordant la route sont protégées par de solides clôtures barbelées, fermées par des portails scellés de lourds cadenas. Dans les pays dits « développés », ce ne sont plus seulement les biens qu'on protège, mais le concept même de propriété ! Je marche des kilomètres sans trouver un endroit où planter ma tente, et je dois me résoudre à des actes délictueux pour pouvoir user de mon droit fondamental à dormir. Tout le monde s'en moque, de ce droit, dans les pays capitalistes. Il n'existe simplement pas, je l'ai souvent remarqué : il faut payer pour dormir. Si tu ne possèdes rien, le repos te sera interdit ! Symboliquement, cela me paraît d'une violence inouïe…

Je croise quelques locaux qui me conseillent lourdement de visiter leur pub. L'un serait historique, l'autre ceci ou cela, mais aucun ne m'y invite, et je n'ai pas les moyens de payer une simple bière. Le sens de ma marche les laisse de marbre.

– Qu'est-ce que tu fais, le fou ?

– Le tour du monde à pied.

– *Good for you.*

Et ils s'en vont. Lorsque quelqu'un s'arrête, un touriste en général, pour me donner de l'eau, un fruit ou seulement un sourire, c'est un réel miracle, comme un regain de vie. Je souffre dans ce brasier de la froideur humaine. La lassitude de cette longue route me fait broyer du noir. À chaque fois que je marche dans le sens du trafic, je reçois dans le dos des coups de klaxon de mépris, des insultes, et même des déchets, comme si on se défoulait en me frappant par-derrière. Un jour, je reçois un ballon d'eau qui éclate sur mes affaires. Le lendemain, ce sont des frites, et une bouteille de bière qui se brise juste à mes pieds. Ma présence les rend fous, ils jugent insupportable de devoir s'écarter. Certains chauffards se dirigent directement sur moi, je leur fais un signe de la main mais je maintiens ma route. On dirait deux fauves se défiant… Quel ridicule ! J'avais espéré un peu de sollicitude à l'approche de Noël, mais la dure vie du bush ne connaît pas de trêve. Au matin du 25 décembre, je reçois un appel de Luce et des enfants qui jette sur ma journée un fin voile de velours. Dans moins d'une semaine, ces 2500 kilomètres de solitude s'achèveront enfin… J'anticipe la douceur des rencontres en marchant sur la route déserte sous un ciel bouché. L'air est humide, sans vent. Alors que je termine d'installer mon campement, l'orage éclate enfin. Je jette à la hâte une toile imperméable au-dessus de ma tente et me calfeutre sous mon drap, écoutant l'eau lourde marteler la terre chaude. Le lendemain, de longues flaques brunes s'étalent autour des ponts, la nature est heureuse, elle chante et reverdit, elle est à boire, et je souris béatement en respirant le parfum des eucalyptus. Je passe la nouvelle année sous l'abri d'une aire de repos, attendant que la pluie cesse, occupé à assembler en un collier primitif les griffes de kangourous ramassées sur des squelettes blanchis par le soleil tout au long de ma route.

À l'approche de Townsville, la végétation renaît et explose bientôt dans la chaleur humide du climat subtropical. Demain, j'atteindrai la côte ! Je m'installe sous un pont pour me protéger de la pluie. Je ne devrais pas, je le sais, mais je ne me sens pas la force d'affronter l'orage. Je scrute le lit de la rivière ; il n'y a pas de crocodiles. Mais dans la nuit les bruits des kangourous et autres grattements me tiennent en alerte. Dans l'obscurité clapotante, j'attrape mon canif, mon parapluie et mon aérosol anti-moustiques, seules armes dont je dispose et qui seraient bien faibles pour lutter contre ces dangereux reptiles. Je m'endors finalement, écrasé de fatigue. Qu'ils me mangent ! Tant que je peux dormir.

Quelques semaines plus tard, je marche dans les paysages enchanteurs du littoral australien, dormant chez l'habitant ou au bord de la plage. Les contrées désertiques des territoires du Nord et du Queensland s'enfoncent dans ma mémoire, comme un nouveau trésor allant rejoindre le butin extraordinaire accumulé depuis dix ans. Bientôt dix ans… Je marche lentement, en étapes réduites, par crainte d'arriver au Canada au début de l'hiver. Le Canada, bientôt... Le Canada, déjà! Ma longue route s'achève. Le 8 juin 2010, en traversant le célèbre Harbour Bridge qui enjambe la baie de Sydney, une forme d'anxiété a fondu sur mon âme. Ce passage représentait le 66 700e kilomètre de ma marche, m'avait informé Luce très à cheval sur le décompte. Dans 8300 kilomètres, je serai de retour chez moi. Je vis depuis dix ans dans une bulle de rêve qui éclatera bientôt, quand tout sera terminé. Et j'ai hâte et j'ai peur, en même temps. Sur la côte sud, les Australiens me reçoivent avec chaleur, organisant pour moi une longue chaîne d'hospitalité. Chaleur des hommes, dureté du monde... L'Occident à nouveau m'aspire dans ses filets, imposant son rythme et ses règles. Parfois, sur la route, on m'oblige à marcher affublé d'un gilet de sécurité de couleur criarde, je me sens comme un clown, ce que je suis, d'ailleurs! La marche est le dernier sport libre, bientôt nous serons obligés de porter une visière, un casque, des jambières, un plastron, des stroboscopes et des senseurs électroniques pour prévenir tout danger, comme en période de guerre. Dans l'est de l'État de Victoria, en marchant vers la Tasmanie, la pluie et le froid sur les verts pâturages m'évoquent l'automne de mon pays. À un jeune cycliste que je rencontre, j'explique que depuis dix ans, je n'ai pas eu le temps de lire. Il s'étonne... « Ainsi tu n'avais rien pour nourrir ton esprit ? » S'il savait! J'ai l'esprit qui déborde. Ma route est bien trop captivante pour en détourner mes pensées. Je lis au travers d'elle à une vitesse telle que j'éprouve de la peine à tout assimiler.

Lire le désert, seulement.

Lire en soi-même comme dans un recueil de poèmes écrits hier déjà, ou bien il y a mille ans. Voilà bien l'histoire la plus authentique, la plus magistrale. La plus intimidante.

AU BOUT DU MONDE

11 octobre 2010 – 30 janvier 2011

→ **NOUVELLE-ZÉLANDE** →

J'ai démonté ma poussette. Tout est étalé là, devant moi, sur une bâche en plastique. Des essieux, des boulons, ma trousse de premiers soins. Des vêtements et un bout de savon. Le cheval de Laury. Et le petit marteau qui m'aide à planter les piquets de ma tente. Quelques kilos de matière qui m'ont accompagné au long de ces dix ans. Pour tromper ma nervosité, je leur parle comme à des enfants : « Ça va aller, mes petits. Je vous ramène au pays... » J'entends Adrian et Dezma chuchoter dans le salon, attentifs à ne pas me déranger. Leur délicatesse, ce soir, me touche davantage encore que les mille attentions dont ils m'entourent depuis des semaines. J'ai rencontré ce couple de Néo-Zélandais à Katmandou, au Népal, elle si joyeuse, lui si secret, cachant sous son air pas sérieux et son sourire en grimace une générosité profonde, impérieuse. Ils ont organisé ma marche en Nouvelle-Zélande sous le patronage d'un organisme dédié à l'enfance vulnérable appelé Barnardos, transformant cette dernière étape en une immense ronde de rencontres et de fêtes. Dans les montagnes majestueuses, au creux des vallons verdoyants, sur les plages de fin sable blanc, on m'a reçu partout comme un grand personnage, me présentant aux maires, m'entraînant dans les écoles raconter ma marche aux enfants. Jusqu'à ce rituel maori organisé dans la banlieue d'Auckland, où le maire, portant bâton et revêtu de la cape traditionnelle, a dirigé pour moi un *hakka* (une danse rituelle chantée) tellement puissant que j'en ai pleuré d'émotion et de joie.

J'ai marché ces trois derniers mois sans me projeter dans l'avenir, savourant l'exotisme tranquille de ce dernier voyage. Mais ce soir, l'anxiété s'est enfin libérée, et elle me paralyse.

Je suis heureux de rentrer – ces deux dernières années ont été trop longues, je suis en manque de Luce et je suis fatigué. Mais en même temps, j'ai peur.

Sur la route vers l'aéroport, je trépigne comme un enfant, en proie à une surdose d'excitation. Le vol NZ84 de la Air New Zealand, qui m'offre le voyage, décolle à vingt heures. « Respire, Jean. Respire… » Adrian n'en finit plus de rire et de se moquer de moi. Et une seule pensée tourbillonne dans ma tête : « J'ai fait le tour. J'ai fait le tour ! Je rentre chez moi… » Je m'engouffre dans le tunnel dans une confusion telle que j'oublie d'embrasser mes anges néo-zélandais, et de leur dire au revoir.

LA DERNIÈRE MARCHE

20 février 2011 – 16 octobre 2011

→ CANADA →

Est-ce le signe d'une renaissance ? Ayant quitté la Nouvelle-Zélande le soir du 30 janvier, je suis arrivé au Canada au midi de ce même jour. Une facétie du décalage horaire m'aura fait vivre deux fois cette incroyable journée… Je savais qu'un comité d'accueil m'attendait à l'aéroport de Vancouver, mais son exubérance me prend par surprise. Autour de Luce, si petite et larmoyante dans le grand hall marbré du terminal d'arrivée, une foule de cameramen et de porteurs de micros se démènent et se pilent dessus pour ne rien manquer de mes premiers mots. Sitôt que j'apparais, un orchestre laisse éclater une musique de carnaval, et Luce me tombe dans les bras en pleurant tandis que je bredouille : « Je suis content, je suis content… » Les perches des micros me chatouillent le front, ça crépite de photos. « Qu'est-ce que ça vous fait d'être au Canada ? » me demande-t-on. Mais regardez-moi, bande de fous ! Je ne sais plus quoi dire, j'ai les jambes qui tremblent ! Ça danse et ça pleure tant dans cet aéroport que j'ai la tête qui tourne. Luce et moi pensions profiter d'une parenthèse de solitude pour savourer nos retrouvailles… Peine perdue. Pendant une semaine, nous nous levons aux aurores pour répondre aux demandes incessantes de la presse, ainsi qu'à un torrent de messages de soutien et d'invitations. Ce n'est pas fini, pourtant… Luce me le répète. Il me reste plus de 5000 kilomètres à parcourir dans cet immense pays. Mon pays, le dernier que je découvrirai.

Je me sens aussi intimidé qu'au matin de ma première dictée. Je suis parti depuis si longtemps, je me suis imprégné de tant de cultures que je me demande si je serai capable de me fondre dans la mienne. Ce n'est pas un pays que je vais traverser, c'est mon jardin, mon arrière-cour, et pourtant je ne les connais pas. Dans ma vie d'avant, je n'étais jamais allé plus loin que les chutes du Niagara, au sud de l'Ontario. Je ne parlais même pas l'anglais ! J'appréhende de décevoir ceux que je chéris le plus.

Lorsque je quitte la pointe ouest de Vancouver, depuis la plage jouxtant l'université, je suis seul et tellement heureux que j'ai envie de danser. Je galope presque derrière ma poussette, comme si je m'élançais sur un chemin d'herbe tendre… Pauvre fou ! J'attaque bientôt l'ascension de la chaîne côtière, et un vent terrible se met à souffler. *« Mon pays, ce n'est pas un pays, c'est l'hiver. »* Comment ai-je pu l'oublier ? Heureusement, une boutique du Québec m'a généreusement envoyé un équipement complet. Sous-vêtements, guêtres, tente, sac de couchage… Je suis paré contre le froid. Mais pas contre la neige… À Hope, le sixième jour, une tempête se met à souffler. De la neige, de la neige, encore de la neige, ça tombe et s'accumule en bordées de cauchemar, je marche face au vent des flocons dans les yeux tout au long du Fraser Canyon, essayant de maintenir ma poussette dans la trace des déneigeuses. Cette matière est pire que du sable : lorsqu'elle ne poudroie pas (alors on s'y enfonce), elle croûte, avant de se transformer en une gadoue collante. Je m'enlise régulièrement, transpirant comme un diable dans mes chauds sous-vêtements. Les camions qui me doublent m'envoient dans la figure de grands seaux de sloche mouillée. Vlaf ! J'ai les cils et les poils du nez qui gèlent… Bienvenue au Canada !

Un matin, un type en camionnette s'arrête à ma hauteur. Je le regarde à travers les cristaux qui obstruent mes yeux, une stalactite au bout du nez. « Tout va bien ? dit-il. – Pas si pire », marmonné-je, les lèvres engourdies. Je ressemble à un grizzly. Il m'invite à dormir dans son chalet, plus loin. Sur ces terres de moins en moins peuplées, dans une ambiance de quasi-désert, une formidable chaîne de solidarité s'installe et je trouverai toujours une place où dormir à la chaleur du poêle. La bière et la bonne nourriture me requinquent, et nous rions de mille anecdotes tirées de mes expériences. Ce peuple montagnard se passionne pour les aspects pratiques de mon étrange voyage. Nous discutons longuement de l'état de mes pieds, et de la question de savoir s'il existe une sorte de chaussures idéales. Je leur montre mes extrémités aux coussins enflés, aux ongles rouges et arrachés, et nous devons bien convenir que non. Autant demander à un fakir quelle marque de lit de clous est la plus confortable.

« As-tu souvent été malade des intestins ? me demande un soir un grand gars à la barbe fournie, l'air sincèrement préoccupé par cette question fondamentale. – Oui, je lui réponds. Bien sûr. J'ai dû m'adapter à de nouvelles nourritures, de nouvelles bactéries… » Il se penche légèrement, tout ouïe, et soudain le silence s'installe. Dans la lueur du feu de bois qui caresse la tablée, dans ce chalet d'un village amérindien, mon hôte hausse un sourcil… Alors je raconte à ces deux bûcherons de montagne les mille et une manières qu'il existe d'aller aux toilettes de par le vaste monde. En Éthiopie, on s'accroupit au-dessus d'un trou. Certains débordent et grouillent de vers, imbibés d'urine et dégageant une écœurante odeur d'ammoniaque. Les doigts et les murs servent de papier-toilette, aussi ai-je appris à emporter, en toutes circonstances, un savon avec moi. Car dans la culture éthiopienne, les repas se prennent en commun, à la main, dans le même plat… Au Mozambique voisin, curieusement, les mêmes trous dans un plancher de terre sont dans un état impeccable. Les industrieux Chinois ont porté ce système à la perfection : les toilettes de campagne installées au bord des routes sont à double étage; l'un pour les humains, l'autre (en dessous) pour les cochons. Ainsi rien ne se perd et le ménage est fait. Il faut aussi tenir compte des tabous culturels. Au Moyen-Orient, en Turquie, on considère d'une grotesque impureté que différents fessiers puissent effleurer le même support, ce qui entraîne une foule d'inventions ingénieuses, des toilettes « à la turque » aux petits bols de faïence sur lesquels les gens grimpent pour prendre de la hauteur. En Égypte, les cuvettes ont un jet d'eau et les urinoirs sont équipés d'une petite douchette. Les Argentins possèdent des bidets pour la finition du lavage, mais les Japonais remportent, sans conteste, la palme du raffinement, avec sièges des toilettes chauffants munis de douchettes automatiques à jets et à température variables, dirigées selon le genre, homme ou femme. Certains lieux proposent même une série d'options stimulantes supposées soulager des besoins d'une autre sorte... Plus je raconte et plus ils s'esclaffent: « Non? Non! » répète le plus grand des gaillards pendant que son copain se tient les côtes. Puis je disparais aux toilettes, où je découvre de grands saumons étalés dans la baignoire remplie de glace. On m'explique qu'on les prépare pour la fumaison... Mes amis me feront cadeau de morceaux de cet excellent poisson que je dégusterai pendant plusieurs jours.

Je progresse vers les Rocheuses sur l'autoroute transcanadienne, franchissant le col Rogers, dans la chaîne Columbia, les muscles noués par la crainte d'être brusquement enseveli sous la neige. Entre les monts Cheops et Avalanche hérissés de tertres et de barrages, au centre du parc national des Glaciers, ce col mythique est régulièrement le théâtre d'importantes avalanches. Le garde forestier, furieux et paniqué, tente de me forcer à monter en voiture, mais je suis déterminé à marcher mon pays... Je passe trois jours l'oreille tendue, à guetter les bruits sourds, des amis me ramenant chez eux pour la nuit. J'atteins la province d'Alberta au début d'avril, épuisé mais entier, prêt à affronter la solitude des Prairies, près de deux millions de kilomètres carrés de forêts, de champs d'élevage et de cultures étalés dans cette plaine gigantesque, le grenier de mon pays. La chaîne d'hospitalité se poursuit, et chaque soir est un soir de fête. Je m'amuse, pourtant, des réactions suspicieuses que ma présence provoque au pays des cow-boys. Comme dans l'Outback australien, comme en Irlande ou en Tasmanie, je rencontre sur ces terres isolées un profond esprit de clocher, mêlant la fierté du pionnier à la haine de l'étranger sur un épais fond d'ignorance. Un type comme moi, qui marche pour la paix avec un petit drapeau, ça ne peut être que d'extrême gauche. Ça n'aime pas les armes (sacrilège !), pire : ça serait communiste que ça n'étonnerait personne. Décidément, ma tête de hippie ne leur revient pas. Un jour, un type auquel je demande quelques renseignements tente même de me casser la gueule ! « On est des *rednecks* ici, les immigrants, on leur fait la vie dure », rigole grassement le bon Glen accoudé au comptoir du *Piapot Saloon*, lorsque je lui raconte la scène. Mon agresseur était d'origine coréenne… On a dû lui en faire baver.

J'arrive en Ontario au milieu du mois de juin, dernière province avant le Québec. C'est en foulant pour la première fois le Bouclier laurentien que je réalise vraiment que j'approche de la fin. Ces roches nues, datant du précambrien, courent jusqu'à Montréal où je pourrai enfin me libérer de cette longue liberté, pour une autre, je l'espère. Dans le nord de l'Ontario recouvert de forêts, je m'enferme à nouveau dans la solitude. Entre les villages épars, je traverse de vastes zones boisées, territoire des lynx, des loups et des orignaux. Je dors au plus profond des bois, coupé du monde, accrochant ma nourriture dans les arbres pour la protéger des ours, oubliant les écureuils qui se servent allégrement. Les communications sont coupées, mais je n'ai pas peur. Pendant deux mois, je me coule dans cette vie de trappeur, explorant l'histoire de mes origines. En allant vers le fleuve dans un mouvement inverse de celui de mes ancêtres, contournant les Grands Lacs sur la route des fourrures, je songe aux Français qui ont exploré ces terres, les ont aimées, travaillées, y ont planté leurs racines. Et je m'émerveille : tout est là ! Les valeurs que je recherchais, la simplicité, la dignité, le courage. Je pourrai les retrouver sans arpenter le monde, à quelques pas de chez moi. Je n'aurai plus besoin de fuir, je le savais déjà. Mais qu'allais-je faire de ma vie ? Quelle nouvelle page allions-nous écrire avec Luce, quel nouveau chapitre ?

Le 8 octobre 2011, je franchis le pont qui enjambe la rivière des Outaouais, marquant la frontière du Québec et de l'Ontario, où une quinzaine d'amis anglophones me remettent aux Québécois. Entendre le parler joual me fait chavirer le cœur, « on est *bin bin* contents que tu *soyes* là », et je souris si fort que la nuit j'ai le visage fatigué, mais je peine à m'endormir dans ces gîtes et relais qui nous abritent, mes compagnons et moi. Car des supporters sont arrivés de France, de Norvège, d'Afrique du Sud, d'Argentine, et bien sûr du Québec pour franchir avec moi les derniers kilomètres.

Que raconter encore ? Les célébrations, les compliments, la joie ?

Je suis rentré le 16 octobre 2011 ; 4077 jours et 75 543 kilomètres après mon départ.

Sur la place Jacques-Cartier faisant face au Vieux-Port, au cœur d'une foule immense, un musicien chante pour moi ces mots de Félix Leclerc : « *J'ai traversé sur mes souliers ferrés / Le monde et sa misère…* » Mes cinquante-quatre paires de souliers. En serrant ma mère, Luce, mes enfants dans mes bras, je me demande brusquement si j'ai assez donné, assez vu, assez compris les êtres. La chanson se termine par ces vers : « *Dépêchez-vous de salir vos souliers / Si vous voulez être pardonnés.* »

Aurai-je mérité de l'être ?

Le soir tombe doucement, et la place se vide. Un à un les badauds, les amis, puis la famille s'en vont. Il a plu, la douce lumière des réverbères se reflète sur les pavés de la rue de la Commune.

Je prends Luce par la main.

Nous marchons lentement, en silence, un dernier kilomètre sur les quais du Vieux-Port.

C'est là. Un petit immeuble de brique dressé dans la rue Wolfe. Devant la porte de notre appartement, plongeant son regard dans le mien, Luce glisse au creux de ma main la clé que je lui avais confiée onze ans auparavant.

En souriant, elle me dit : « Entre. »

REMERCIEMENTS

Premièrement, deuxièmement et troisièmement, je veux saluer bien bas tous les enfants du monde ! Vous avez su m'apprivoiser et, à grands coups de spontanéité, vous m'avez rallié à votre cause pour qu'elle devienne mienne. Je vous embrasse bien fort.

Cette marche n'aurait jamais été possible sans les dizaines de milliers de personnes rencontrées le long de ma route. On dit que la richesse se mesure à notre nombre d'amis. Par conséquent, je suis millionnaire !

Je vous salue Shatbhaya, Yvon, Mohamed, Ricardo, Cipriano, Émilio, Felipe, Nathalia, Rocily, Jorge, Hua, Saul, Juan, Seka, Xavi, Yvonne, Michelle, Huang, Keith, Alebachew, Xavier, Juanito, Kevin, Hu, Louis, Debora, Bhavizathi, Murry, Terima, Ron, Mukteshvara, Mika, Rabah, Rose, Jun, Elena, Romel, Jamila, Koh, Ayna, Rolph, Yazid, Prakash, Swaii, Patrice, Amir, Madesha, Kiran, Minu, Ling, Fouzia, Qing, Nicolas, Enzu, Malika, Eunho, Kweon, Andréa, Abderahmane, Funaki, Naoko, Jule, Sato, Ayako, Salima, Ngale, Abdallah, Gulgit, Sabita, Surendra, Jessica, Norkemuniak, Juliana, Ketha, Nhlaka, Yuri, Hagigat, Parvin, Sora, Samira, Barbora, Petra, Laszlo, Cheng, Obed, Arpad, Adrian, Viragh, Juao, Vanessza, Stevan, Hua, Vladimir, Baily, Minako, Mustafa, Wendy, Alexa, Nuala, Maaike, Betty, Santiago, Dezma, Inge, Luisa, Riad, Naziah, Fatiha, Jose, Eva, Pascale, Habib, Linda, Yong, Rocio, Miguel, Carla, Sameh, Bill, Bolous, Meau, Mutasim, Christophe, Makda, Ramadan, Holger, Amshad, Heba…

Il est évidemment impossible de vous énumérer tous et toutes, mais ces noms sont à la fois réels et symboliques et ceux qui sont là tiennent dans leurs cœurs tous les autres.

Merci aux généreux mécènes ainsi qu'aux bénévoles et aux organismes qui ont appuyé la cause des enfants. Merci à vous qui m'avez si gentiment offert un lit pour soulager ma fatigue, un fruit ou un repas pour calmer ma faim et de l'eau quand j'avais soif. Toute ma reconnaissance également à ceux qui m'ont si aimablement pourvu de grandes et petites choses essentielles à ma vie. Sans oublier la multitude de mots d'encouragement, d'actes de bonté et d'amour que vous m'avez prodigués pour alléger chacun de mes pas.

Je veux remercier les 18 récipiendaires du prix Nobel de la paix, signataires du Manifeste 2000 pour une culture de la paix et de la non-violence de l'ONU. Vous m'avez permis d'apporter mon humble contribution à la Décennie. Je ne peux non plus passer sous silence les appuis reçus par les autorités des pays que j'ai traversés. Vous m'avez accordé le privilège de fouler votre terre et d'être reçu comme un frère parmi votre peuple.

Merci à Géraldine Woessner, la patiente, qui, avec un simple sourire et une passion sans bornes, a réussi l'exploit de dépoussiérer ma pauvre mémoire pour que ce beau livre soit ce qu'il est. Merci aussi à la téméraire Marie-Andrée Mauger, qui, « avec des économies de fonds de tiroir », a réussi la prouesse de mettre en lumière l'âme de cette marche avec son documentaire *Des ailes aux talons*. Enfin, merci au génial Emmanuel Blanc qui a créé un site Web magistral consacré à son marcheur préféré.

À mon père Benjamin, le taquin, qui n'a pas tenu sa promesse d'attendre mon retour. À ma mère Yolande, la si aimante et courageuse, qui a tenu Luce bien serré, présence rassurante aux temps des inquiétudes. À mon fils, Thomas-Éric, le coooool. Tu m'as accompagné bien au-delà des

1000 kilomètres parcourus ensemble dans les pays lointains. À ma fille, Élisa-Jane, la rieuse. Merci de m'avoir fait l'honneur et la joie d'être le grand-père de la victorieuse Laury et de la princesse Amira.

Et Luce. Oh! comme j'ai tenu ton esprit occupé avec le battement d'ailes de mon monde durant tout ce temps. Tu as été la luciole de mes mille et une nuits. Nous étions si loin des yeux, mais si près du cœur. Nous avons vécu une aventure passionnante. J'étais la Lune et tu étais Houston. J'étais l'étoile filante et toi, la planète stable. Merci pour le privilège de m'avoir fait vivre une si intense histoire d'amour.

MARQUIS
Québec, Canada